コロボックル物語⑤

小さな国のつづきの話

佐藤さとる・作　村上勉・絵

講談社

はじめに

この本におさめられているのは、あの奇跡の小人族、コロボックルたちが活躍する第五番めの物語である。といっても、かんじんのコロボックルたちは、しばらくのあいだすがたを見せてくれないのだが。

しかし、この小人たちが、人の目にとまらないほど、すばやく動きまわることを考えると、見えないからといって、ここにきていないとはいえない。あんがい、どこか近くのページにかくれていて、ときには行と行とのあいだを、かけぬけたりしながら、こちらをうかがっているかもしれない。

いずれ出番がくれば、たちまち物語の中にあらわれて、このめんどうな話を、じょうずにおしひろげてくれるだろうと思う。

佐藤さとる

目次

小さな国のつづきの話

第一章　小さな神さま

1

名前を杉岡正子《すぎおかまさこ》といって、その年の春高校をでるとすぐ、町の図書館につとめはじめたおねえさんがいる。物語は、しばらくのあいだこのおねえさんを追っていくことになる。

もしかすると、「その人のことなら、知っているような気がする」なんていう人がいるかもしれないが、ここではいっそうくわしく話していくので、めんどうでも目をとおしてほしい。

さて、その杉岡正子も、ほんのすこし前までは制服すがたの高校生で、その前はおさげ髪の中学生で、その前はもちろん小学生だった。あたりまえの話ではあるけれども。

その小学生のころから、正子はなぜかずっと「ヘンな子」といわれつづけてきた。おかあさんもふたりのにいさんたちも、いった。おとうさんは正子が赤んぼだったころになくなったから、なにもいわない。そのかわり、というわけではないが、北海道にいる叔父さんも、正子と会うたびに「おまえはヘンな子だな」といった。「正子はきっと、どこかくぎが一本ぬけているんだな」といってわらった。

もちろん、学校の先生も友だちもいった。いまのつとめ先である図書館でも、しょっちゅう同じことをいわれている。

みんながみんな、正子のことをヘンな子だという。そしてたぶん、ヘンな子であるためだと思うが、高校にはいるまでは、とくに親しい友だちというのがいなかった。

そのくせ、どこがどうヘンなのかは、なかなか説明しにくい。

子どものころから、ちびでやせこけていて、おでこであごの先がつんととがっていて、口は見たところ生意気そうで、色が黒くて目玉ばかりは大きく、みけんにたてじわをよせて、人をじっと見あげたりする。小さいときから、自分でもみっともない子だと思っていたし、他人はえんりょなく口にだしてそういった。

これだけでもかなりヘンな子だが、まだまだある。

そんな正子なのに、なんとなく動きがしなやかで足が速く、いそいで歩いてもほとんど音をたてない。まるでねこのようだった。なにかスポーツでもしていたら、いい選手になれただろうと思うのに、正子はなにもしなかった。そして、ヘンなのはそのことでもない。

いまは腕のいい機械工になっている上のにいさんは、こんなふうにいう。

「マア坊は、まったくヘンな子だったよな。おかしいことがあっても、わらったことがないもんな」

「うそよ。そんなことありません。おかしければ、わたしだってわらいます」

正子はいいかえす。たしかに正子のいうとおりで、わらわない人間なんて考えられないが、おもしろいのは、こうしていいかえしているときでも、正子が口をとがらせたり、声を高くしたり、ということをいっさいしないことだった。むかしからずっとそうなのだ。

下のにいさんは、北海道の大学にはいって、いまは叔父さんの家にやっかいになっているが、このあいだ春休みに帰ってきたときにいった。

「おまえは、ほんとになかないやつだったな。おれはあにきにやられて、ずいぶんないたおぼえがあるけどね。おまえは強情なのか、それともにぶいのか、おれがいじめてもなかなかなかった。ヘンな子だぜ」

「うそ。わたしだってよくなかされていたわ」

正子は、けっしてむきになったりせず、静かに答える。両方とも正直にいっているとすれば、正子はないてもないているようには見えなかった、ということらしい。

　また、おかあさんは――たとえば、ついさきほどもこんなことがあった。夏の終わりに近い月曜日のことである。図書館は月曜日が休日だから、正子は一日家にいた。

「正子、おまえ、なにか気にいらないことでもあるのかい」

　夕がた、正子を台所でつかまえて、おかあさんがそうっとたずねた。正子はだまったまま、一重まぶたの大きな目で見かえしただけで、なにも答えなかった。おかあさんは、ますます心配そうな口ぶりでつづけた。

「だっておまえ、きょうは朝から、一度も口をきいていないじゃないの」

「あら」と、はじめて正子はいった。

「そうだったかな」

「そうだったかな、って、おまえは自分で気がついていないのかい」

　おかあさんがあきれていうのに、正子は、なんだつまらない、という顔をしていった。

「朝は洗濯をして、そのあと読みかけの本があったから、ずっと読んでいて……べつに話すこともなかったから、だまっていたんじゃないかしらね。ね、おかあさん、おかあさんはどう思う」

どう思う、なんていわれて、おかあさんはため息をついた。

「年ごろのむすめだと思って、こっちが心配しているのに、ヘンな子だねえ」

そう、つまり正子はヘンな子なのである。

2

ついでにいっておくが、その日、正子が読んでいた本というのは、うす黄色の表紙のついた、子ども向きのものだった。つとめ先の図書館から借りてきた本だが、このことはぜひおぼえておいてほしい。

ところで、このおかあさんというのが、女手ひとつで三人の子を育てあげたとは思えない、やさしいお人よしだった。しかし、人は見かけによらない。じつはそろばん一級、簿記三級という特技があって、いまはやめているが、長いあいだ近くの荒物問屋で働いていた。その店の主人——正式には小さいながら会社だから社長——は、おかあさんのいとこにあたる人で、おかあさんの腕を見こんで、やとってくれたわけだ。

おかげで正子たち三人の子どもは、マッチ箱のような小さな家ながら、下町の二階屋にのびのびと育った。

とはいうものの、小学生のころの正子はやっぱりヘンな子だった。おとなしいくせに気が強く、器量がわるいくせに、どこか気どっているように見えた。ぼんやりしているようで、めったに失敗をしない。勉強はあまりできないと思われていたが、それほどできないわけではなかった。

そんな正子を、男の子たちはなぜかきらった。むだなおしゃべりはしないし、みんながげらげらわらっているなかで、ひとりだけしんと静かにしているし、そうかと思うと、まわりで口げんかがはじまっても、横に立ったまま、じっとながめていたりする。

「やい、なにをじろじろ見てるんだい」などと八つあたりされても、けろりとしている。だからといって、とっつかまえていじめようとすれば、あっというまににげてしまう。そうなったらもう、すばしこい正子の足には、男の子でもめったに追いつけなかった。

こんな子がなかまにいたら、男の子でなくたって、調子がくるってしまうだろう。

それで女の子たちも、なんとなく正子に近よらなくなった。

それでも正子は、ひがんだりうらんだりはしなかった。どうせ自分はヘンな子なので、いっしょにいてもつまらないのだろうと、あっさり考えていた。自分から友だちをつくろうなどとは思ったこともなく、いつもひとりですごした。本はすきでよく読んだが、本がないときは、とっぴな空想をひろげて楽しんだ。

小学生の正子がとりつかれていた空想は、自分の守り神のことだった。自分には自分だけの守り神がついていると考えて、正子はそのすがたをあれこれと思いえがいた。てのひらにのるほどの小さな神さまだが、あるときは白いひげのおじいさんだったり、あるときはやさしい仙女さまだったり、またあるときは、自分と同じような小さな女の子のすがただったりした。どれがいいか、自分でもなかなかきめられないでいた。

ところが四年生の夏、正子はその自分の守り神を、ほんとうに見たと思ったことがあった。ひとりで町かどの子ども広場をとおりぬけたとき、すみの草むらで、ひるがおの花がひっそりとさいているのを見つけた。近づいてそっと目をよせていくと、花のかげのつるに、小さな小さな神さまがこしかけていた。思わず身をひくと、ぱっとはねていってしまった。

もしかしたら、これはばったかきりぎりすだったのかもしれない。でも正子はたしかに小さな神さまを見たと信じたのである。そのころの日記をのぞいてみると――正子は感心にずっと日記をつけている――、この神さまのことを、こんなふうに書いている。

『わたしの守り神さまは、緑色のぬいぐるみの服を着て、緑色のずきんをかぶって、顔だけがでていました。わたしを見てにっこりしてくれました……』

正子は、その神さまの絵をいくつもいくつもかいた。日記帳にもかいたし、教科書のすみっこにもかいた。この神さまがすっかり気にいって、『お守りさま』という名前までつけた。ちょうど、よその女の子が人形をたいせつにして、名前をつけてかわいがるのと同じように、正子は自分だけの守り神をたいせつにしたのである。

だから、それからあとの正子は、こまったときやまよったときには、むねのうちでこんなことをつぶやくくせがついた。

(わたしのお守りさま、どうかお願いします。わたしを助けてください)

つまり正子は、自分の空想から生まれてきた神さまの、たったひとりの信者になったわけだ。そして、このくせはいまでもつづいているのである。正子はなにかあれば、知らず知らずのうちに、（お守りさま、お願い）と、心の中でつぶやく。

はたから見ればまるでたあいない遊びのようだが、ヘンな子の、みっともない子の、ひとりぼっちの正子が、ひねくれもせず、つっぱりもせず、のびのびすなおに育ったのは、案外こんなところにひみつがあったのかもしれない。正子はこうして、悲しみやさびしさをふきはらってきたのだった。

3

ところで、正子が中学に進み、二年生になったころから、正子のまわりがすこしずつかわっていった。

ヘンな子はヘンな子なりに、ふしぎな雰囲気が生まれてきて、みんながその雰囲気に気づいてきたのだろう。女生徒たちのなかには、正子をむかえいれるグループがうまれたし、男の生徒も、以前のように頭から毛ぎらいするようなことはなくなった。

いっこうにかわらないのは、本人の正子だった。なかまにいれてもらったときも、べつにおどろいたりはしなかった。

(きっと、わたしみたいなみっともない子がそばにいると、みんながひきたつから、それでなかまにしてくれるんだわ)

そんなことをのんきに考えて、ひとり合点していた。しかし、なかまができても、あいかわらず静かで、自分からおしゃべりはしなかった。それでも、正子の女友だちは、正子を聞き役にして、かってにおしゃべりをした。『話し上手より聞き上手』なんていう古いことばがあるが、ヘンな子の正子は、すくなくとも聞き上手な子ではあった。

(わたしがおしゃべりじゃないんで、みんなは安心しているのね。だって、ずいぶんひどいわるくちやないしょ話まできかされるもの)と、これまたのんびりと受けとめていた。もっともこれは、いくらかあたっているかもしれない。正子は、人からきいた話を、そのまま他人に話すようなことは、けっしてしなかったから。

おかげで正子は、知らなくてもいいことまでいろいろと知ることになり、そのためにいっそう無口になって中学校を卒業した。そして、地元の女子高校にぶじ進学した。

高校では、クラスにふっくらとした色白の美少女がいて、同じ中学校からきたらしい子が、この美少女を「チャムちゃん」とよんだ。そのよび名は、親しみがあって口にしやすかったためか、新しい級友たちもすぐにまねをした。「きっとチャーミングの略ね」なんていう子もあり、「チャムっていうのは相棒とかなかよしっていう意味よ」などと物知りぶる子もいた。

そのチャムちゃんは、頭もよくだれからもすかれていたのに、なぜか口数が少なかった。つきまとうようによってくる友だちにかこまれて、にこにこしていたかと思うと、いつのまにかぬけだしていって、ひとりぽつんとはなれたところにいる。たぶん、正子とはちがう型のヘンな子だったのだろう。

ヘンな子どうしで、なんとなくひかれるものがあったのか、教室のすみで、美少女のチャムちゃんのほうから、ふっと正子に話しかけてきた。

「あなたも、ひとりでいるのがすきなようね」

たしかそういわれたと思うのだが、正子はよくおぼえていない。思いがけない人からいきなり話しかけられて、ほとんどおびえていたのだ。しかし、そうは見えないのが正子のとりえである。

「ええ」と、自分よりいくらか上背のある相手を見あげながら答え、それから、なにかいわなくては、とあせった。

「……でも、静かに話をするのも、わたしはすきよ」

ひやあせをかきながら、ようやくいったのだが、これがおっとりとおちついた返事にきこえた。

「わたしも」と、チャムちゃんはうれしそうにいって、きれいな笑顔を見せた。ふたりはなんということもなく、おたがいをみとめあい、それからはすこしずつ親しくなっていった。正子にとって、いいたいことをいっていい相手、そして、いいたくないときはなにもいわなくてもいい相手ができたのは、これがはじめてだった。

あるとき、チャムちゃんが正子に向かってこんなことをいった。

「杉岡さんって、なんだかとてもすてきなひみつをかくしているように見えるわ」

「あら、どうもありがとう」

正子は、まごつきながらも、思わずそんなふうに答えたが、いわれてみると、相手のほうにこそ、いっそうそんな感じがあった。だから正子は、正直にいった。

「あなたもよ、チャムちゃん。きっとわたしなんかより、ずっとすばらしいひみつをもっているにちがいないわ」

すると相手の美少女は、めずらしくどぎまぎしたようすで、顔を赤らめた。正子はあとになって、このときのことをはっきりと思いだすことになるのだが。

やがてふたりとも、なかよく高校を卒業した。チャムちゃんは大学へ進み、正子のほうは、はじめから働くつもりだったので、学校の紹介によって町の公共図書館につとめることになった。ふたりのことだから、おたがいにはげましあっただけで、ごくあっさりとわかれた。

こうして、ふたりはめったに会えなくなってしまったのだが、いくら長いあいだ会えなくても、正子はこのチャムちゃんのことを、わすれなかった。自分にはもったいないような友だちだと、思いつづけていた。そんなことを相手にいったことはなかったし、これからだっていうつもりはなかったものの、正子はそう考えているだけで、なぜか安心していられたのである。

そのくせ、チャムちゃんが自分のことをどう思っているかなんて、まったく気にしていなかった。

(あんなすてきな人なんだもの、新しい友だちがいくらでもできるはずよ。わたしみたいなみっともない子とばかり、つきあっていることないわ)

そんなことをすなおに思っていた。これもやっぱりヘンな子だからだろうか。

4

図書館につとめたといっても、正子の仕事は事務員なので、ふつうの会社とあまりかわらない。伝票の整理と電話の番と、手紙のあて名書きと、ときどき外へお使いにいくこと――郵便局へいったり、パンを買いに走ったり――、あとはせっせとお茶をつぐくらいのことである。

それでも、ときたま正子にも図書館員らしい仕事があたえられた。

「ちょっと、杉岡くんをかしてくれないかな」

児童室主任のアパッチ先生が、ときどき事務室にあらわれては、そういって正子を借りだす。正子の上役は庶務主任の浜村さんだから、まず浜村さんにことわるのだが、浜村さんもよくわかっていて、ろくに顔もあげないまま、「どうぞ」という。

「さ、いこう」

アパッチ先生は正子に声をかけ、ついてくるようにうながすのである。アパッチとは、もちろん勇猛で知られたインディアンの部族の名だが、この元気な主任さんに、そんなあだ名をたてまつったのは正子だった。といっても、まだ口にだしたことは一度もない。

　はやまってはこまるのだが、アパッチ先生は女の人だ。もうすこしで五十になるといって、しょっちゅうなげいている陽気なおばさまだった。ただし、いつか庶務主任の浜村さんはこういっていた。

「あの先生、五年も前から、もうじき五十だ、もうじき五十だって、ふれまわっているんだよ。もう五十はこえてしまったんじゃないかな」

　浜村さんが、アパッチ先生のほんとうの年を知らないはずはないのだが、わざとそんなふうにいってわらった。

　だまってさえいれば、やや面長の顔はきりっとととのっているし、いくらかしらがのまじった頭も手入れがゆきとどいていて、すっくりと背が高く、体にあったスーツを着こなしている姿は、どこか貴婦人のような気品さえある。ところが、この貴婦人ときたら、ひどくことばがあらかった。

　なんでも中学校の先生を長くしていたために、いつのまにかこんな男みたいな口をきくようになったのだそうだ。

「わたしのつとめていたのが、浜辺のあらっぽい土地でねえ。ていねいな口をきいていたら、生徒がつけあがってしようがなかったのさ」

正子からはなにもたずねなかったのに、そう話してくれた。正子がこ、、、くりとうなずくのを見て、アパッチ先生はおもしろそうにつけくわえた。

「きみみたいな子は気がらくでいいよ。たいていの女の子はね、わたしと話をすると目をまるくするんだ。自分たちだって、かげでは乱暴な口きいてるくせにね。それにしても、きみはあまりものに動じないたちらしいな」

そういえば、はじめてこの先生にひきあわされたとき、正子のことをいきなり「おい、きみ」とよびかけた。

「きみは、本がすきか」

「はい」と答えながら、さすがの正子もびっくりしていた。すがたとことばが、ひどくくいちがっていたからだ。いっしゅん、自分の目と耳がばらばらになったような気がした。しかし、例によって、びっくりしているようには見えなかったのだろう。

「しっかりやりなよ」

それだけいって、さっといってしまった。その児童室主任さんの上品なうしろすがたを見おくっていたら、どういうわけか正子の頭の中に、『アパッチ』ということばがぽっかりとうかんだ。それで、アパッチ先生というあだ名がついた。

では、アパッチ先生が、なぜ正子を借りにくるのか。

図書館の児童室というのは、子ども向きの本をそろえてあり、ふつうは午後だけあけることになっていた。この部屋だけは、開架式といって、子どもたちが自由に手にとってえらべるよう、三方のかべぎわにぴっちりと本だながならんでいる。窓ぎわには細長いテーブルもあり、ここで本を読んでもいいのだが、子どもたちの多くは、自分の読書カードとひきかえに本を借り、そのまま家に持ちかえる。

そこの主任さんがアパッチ先生である。事務室のとなりの司書室に席があるが、ここにいることはめったにない。主任といったって、ひとりだけで、ほかにはだれもいないから、貸し出し係も、図書の整理も、読書相談も、みんなひとりでしなければならない。

おまけにアパッチ先生は、よく学校やＰＴＡや読書会などにまねかれて、話をしにでかけていく。これには午前中や、図書館の休みの月曜日をあてているものの、外にでればそれだけ内の仕事がたまってしまう。

なにしろ、司書と職員と見習い事務員とをみんなあわせても十数人しかいない、小さな図書館のことで、いそがしいときはみんなで助けあうことになっている。アパッチ先生は、そういうときの助手に、正子を使うことが多かった。おそらく、まだ半人前の正子なら、借りていってもそれほどめいわくはかかるまい、という気くばりがあったのだろう。

しかし、それだけでなく、アパッチ先生は、なんとなく正子のことが気にいったようでもあった。

こうして、正子が児童室へつれていかれるたびに、人のいい浜村さんは心の中でつぶやく。

(児童室主任もちょっとかわっているが、あの子もなんだかとっつきのわるいヘンな子だな。もうそろそろ三月になるっていうのに、ちっともうちとけない。あれじゃあ、なかなか嫁のもらい手はないぞ)

浜村さんには、正子ぐらいのむすめさんがふたりあるという。それでこんなよけいなことまで考えてしまうのだろう。

5

　アパッチ先生が正子を助手に使うのは、おもに新しい本がどっと送られてきたときとか、毎月一回おこなう書庫の点検とそうじのときとか、いたんだ本の修理をするときなどだった。のちには貸し出しの仕事なども、するようになったが。

　正子はどんな仕事でも喜んでてつだった。もともとひとりでいるのは平気だったし、とくに、ほこりくさい書庫にとじこもっているのは、心がおちついて大すきだった。頭にネッカチーフをかぶり、エプロンをつけて、バケツとぞうきんを持ちこんでそうじをするのも、けっしていやではなかった。アパッチ先生も、正子が相手ではあまりおしゃべりもできず、したがって仕事ははかどった。

　本の修理の方法を、くわしく教えてもらったとき、正子は、アパッチ先生が見かけよりも、ずっとこまやかでやさしい心の持ち主なのを知った。

「こうやってね、ちぎれかかった表紙をはりなおして、背にクロースをつけてうら打ちして、しっかりととじなおすとね、本はまた生きかえるんだよ」

そのための道具も、アパッチ先生は二組持っていて、一組を正子に貸してくれた。いたんだ本が生きかえっていくのを見るのは、正子にも気持ちがよかった。

「いたむ本はね、それだけたくさんの子どもたちから、すかれている証拠さ。きらわれている本は、いつまでたってもしっかりしている」

そういって、アパッチ先生はため息をついた。

「人間も同じだねえ。にくまれっ子世にはばかる、なんていってさ、にくらしい人は長生きするんだから」

わたしみたいにね、と早口でつづけて、はっはっはとわらった。でも、と正子は思った。こうしてていねいに手入れをしてもらって、けっきょくすかれている本も、長生きするんじゃないかしら——。

やがて夏休みがやってきた。といっても、これは児童室にくる子どもたちの話で、正子のほうは、はじめて夏休みのない夏をむかえたことになる。児童室は、きゅうににぎやかになった。近くの公園にはプールがあり、泳ぎにきたついでによっていく子が多かった。

この図書館は古い建物だから、とても全館冷房というわけにはいかない。児童室は二階のかたすみにあって、東に向いている。窓の外には大きなにせアカシアの木がしげり、午前中は日光をさえぎってくれたが、ついでに午後の風もさえぎった。扇風機は一つあるのだが、ここに腰をおちつけて本を読む子は、やはり少なかった。

それでも正子は、ほとんど毎日アパッチ先生に借りだされた。読書カードに書きこんだり、返されてこない本を調べたり、さいそくの手紙を送ったり、そのあいまには、いたずらぼうずどもを見はったり、なれない子のめんどうをみたりで、一日じゅうばたばたした。

「いっそのこと、館長にいって、杉岡くんを児童室勤務にかえてもらおうか」

浜村庶務主任が、正子に向かってそんなことをいった。

「そうしておいてだな、こんどはこっちから年じゅうきみを借りにいって、あの先生をこまらせてやるんだ」

そこで正子は、思いきってたずねてみた。

「毎年、こんなふうに夏はいそがしくなるんですか」

「まあそうだね」

浜村さんは、まじめな顔になって答えた。

「だから去年までは、大学生をアルバイトにたのんでいたんだが……。高いアルバイト料をはらっても、なかなかいい人がきてくれないんだよ」

正子がだまってうなずくと、浜村さんはなだめるようないいかたになった。

「きみならただで使えるから、なんてけちなことを考えているわけではないよ。ほんとのことをいうと、きみのおかげで、みんなが助かっているんだ。つらいかもしれないが、もうしばらくてつだってやってくれや。こっちの仕事はあまり気にしなくていいからね」

正子はうなずいただけだったが、つらいなんて、ちっとも考えていなかった。児童室にいて、子どもたちとつきあっていると、楽しくてたまらなかった。

そんなときの子どもたちは、正子のことも先生とよんだ。はじめはずいぶんまごついたのだが、正子がまごついているとは、だれも気がつかないうちに、正子のほうがなれてしまった。

「そっちのわかいほうの先生」

子どもたちが、アパッチ先生と区別してそんなふうによんだりしても、あわてなくなった。アパッチ先生も、児童室にいるかぎり、「おい、杉岡くん」などとよぶことはなく、「杉岡先生」と、一人前のあつかいをしてくれた。それが、たちまちほかの人たちにも知れ、だれかが正子をからかうつもりで、「杉岡先生」とよんだ。すると、正子は平気な顔で「はい」と返事をした。

おや、ヘンな子だな、と、いつものとおり、まわりの人は思った。しかし、正子がべつに照れもせず、はずかしがったりもしないので――そう見えるだけなのだが――みんなはおもしろがって、正子を杉岡先生とよぶようになった。そのために、図書館でいちばん下っぱの、新米の女子事務員でしかない正子のことを、ときには館長さんまで、つられて「杉岡先生」とよんだりした。

まもなくこれが正子の通り名になってしまうのだが、たぶん正子には、先生とよばれてもおかしくないようなところが、そなわっていたのだろう。

6

児童室へくる子どもは、なぜか女の子のほうがずっと多かった。女子は男子よりも本ずきなのかもしれないが、ここへ足をはこぶ男の子のなかには、ほんものの本ずきがいる。

また、本ずきというのではなく、調べたいこと、知りたいことがあって、ここへやってくる子がいた。これはほとんどが男の子だった。たとえば、恐竜について、飛行機について、岩石について、切手について、天文について、などなどである。こういう小さな専門家たちは、ほんものの本ずきにまけないほど熱心だが、興味のない本は見向きもしない。

夏休みの終わりごろにやってきた男の子で、『ムックリ』というかわったあだ名の持ち主も、そんな専門家のひとりだった。よく日にやけた顔の、すらりとのびた手足をした子で、四年生だといったが、正子にはもっと大きい子に見えた。

そのムックリくんは、はじめて児童室にきたとき、正子をつかまえて、鉄道の本はないのか、ときいた。

「乗り物図鑑ならあるけど」

答えながら、その子の切れ長の目を見て、正子はふと、だれかに似た目つきだな、と思った。でもだれだったか思いだせないでいると、男の子は口をとがらせた。

「そんな子どもっぽいんじゃやだめなんだよ」

自分も子どものくせに、そんなことをいった。

「あのね、『世界の鉄道』とか、『なつかしの蒸機』とか、『SLの歴史』とか、そんなのはここにないの」

　正子にとっては、どれもこれも知らない書名で、さっぱりわからなかった。

「ちょっと、この紙に書いてちょうだい。あっちのおとなの部屋へいって、わたしが借りだしてきてあげるから」

　そのとき、いっしょにきていた子が、うしろからいった。

「おい、ムックリ、やっぱりここにはないよ。あっちへいこう」

「ああ」と、そのムックリくんは答え、正子に向かってにこっとした。

「いいんだ。ぼくたち、あっちで借りるのならわかっているんだよ。でも、あっちだと家へもって帰れないだろ、だから、もしかしたらここにもおいてあるかと思ってさ」

「そう」

　正子はうなずいた。そして、めずらしくも、くすりとわらった。この男の子のさっぱりした話しかたが、正子には気持ちよかったのだ。そこでたずねてみた。

「ねえ、きみはなんでムックリってよばれているの」

「……そんなこと、知らないや」

　なんだか、自分からはいいたくないようだったが、正子はかまわずにつづけた。

「ムックリって、もしかしたらアイヌ語じゃないの」

「えっ、どうして」

相手はびっくりして目をまるくした。

「ずいぶんへんなことというなあ」

「ごめんなさい」と、正子はあやまった。すると、つれの男の子が、おもしろそうによってきた。

「あのね、先生。こいつはね、ずっと前に、十人ぐらいといっぺんにけんかしてね、つきとばされてもつきとばされても、またむっくり起きあがってきたんだ。だから――」

「よけいなこと、いうな」

ムックリくんはいそいでとめようとしたが、もうまにあわなかった。

「だからみんなが、ムックリっていうようになったんだ。アイヌ語なんかじゃないよ」

「そうなの、えらいのね」

正子は感心していった。すると、ムックリくんがふしぎそうにきいた。

「だけどさ、先生はなぜ、アイヌ語だなんて考えたの」

〈ムックリの図〉

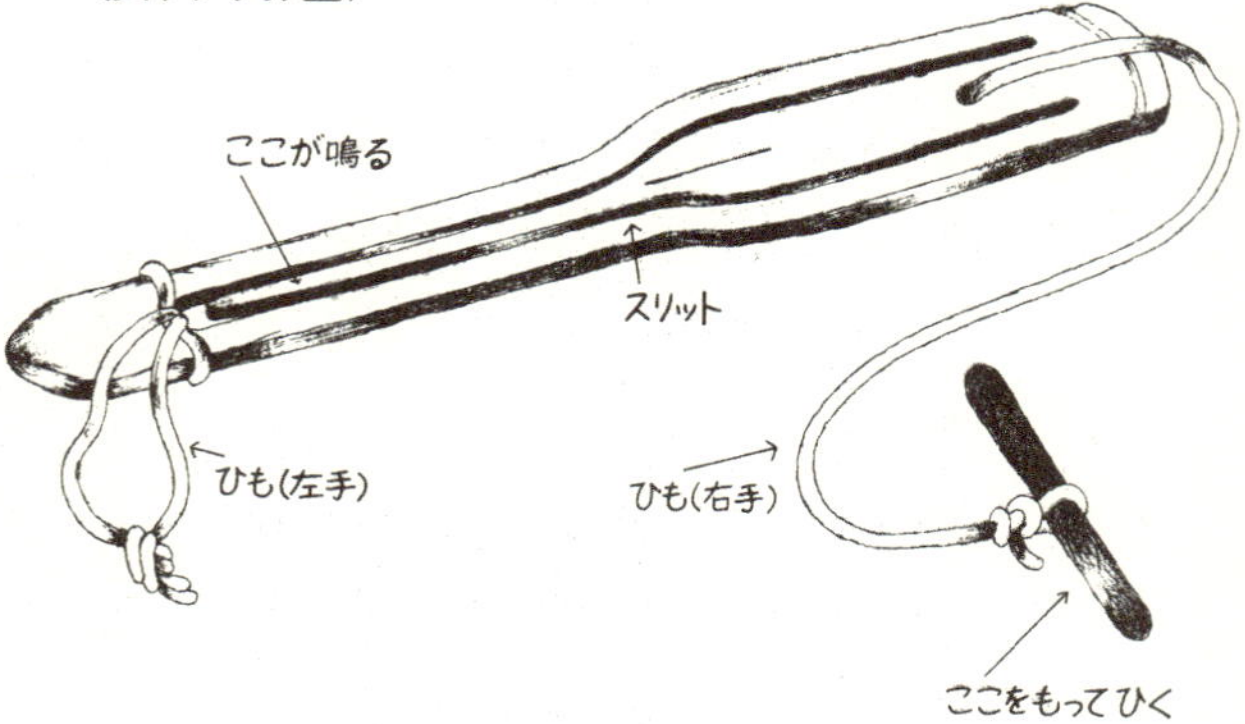

「それはね」

正子は、両手の人さし指と親指をあわせて、細長い形をつくった。

「このくらいの大きさでね。竹をけずってつくった、口琴《こうきん》っていう、かわいいアイヌの楽器があるの。口の前にもってきて、ひもをひっぱって、ビーン、ビーンって鳴らすんだけど、それをアイヌ語では、ムックリっていうの」

「ふーん」

思わずひきこまれたとみえて、ふたりの男の子は正子の顔を見つめた。

「その、ムックリのことを思いだしたものだから、アイヌ語かってきいてみたのよ」

「ふーん」

男の子たちは、あっちの部屋へいくのをわ

すれて、正子の前の小さなつくえによりかかっていた。

何年か前、竹製のアイヌの口琴、ムックリを、正子は北海道の叔父さんからもらった。かんたんな楽器ほど、演奏するのはむずかしいもので、正子には音もだせなかった。

(あれはどこへやったかしら。たしか文机《ふづくえ》のひきだしにしまったはずだけど)

ふっと正子が考えていると、ムックリくんがいたずら小僧の目つきになっていった。

「それならね、先生、コロボックルって、なんのことだか知ってる? これもアイヌ語だよ」

「ええと、どこかできいたことがあるわ。たしか、そんな名前の山小屋があったと思うけど……」

小首をかしげている正子を見て、ムックリくんはにやっとわらった。

「図書館の先生のくせに、まだあの本を読んでいないな」

いいながら、部屋の中をぐるっと見まわし、やがて本だなのすみを指さした。

「あそこだ」

そして、つれの男の子の肩をつっつくと、さっとはなれていった。

7

正子は、ゆっくりと足音をたてずに、ムックリくんの指さした本だなへ近づいていった。しばらく目でさがしたがわからず、一さつずつ手にとってみて、ようやく見つけた。『だれも知らない小さな国』という青色の表紙の本で、その背には、小さな字で『コロボックル物語』という副題がついていた。

あとで、もうすこしていねいに調べてみると、このコロボックル物語は四さつでていて、第一巻が『だれも知らない小さな国』、ついで第二巻『豆つぶほどの小さないぬ』、第三巻『星からおちた小さな人』、第四巻『ふしぎな目をした男の子』とつづいていた。

副本があったので、正子は一さつずつ借りだして読んだ。読みおわったのは、一週間ほどあとの月曜日だった。一日じゅう口をきかずにいて、おかあさんを心配させた日、正子が読みかけの本といっていたのは、この第四巻めである。この日で四さつとも読みおえていた。

もしも、このシリーズの四さつを——あるいは一さつでも——まだ読んでいないという人があったら、ここから先へ進む前に、正子にならって読んでみるといいかもしれない。正子が、ここでどんな感想をもったか、およそのことはわかるだろうと思う。

さて、こうして、コロボックルの本をすべて読みおわった月曜日の夕がた、正子はひざの上に本をおいたまま、二階の自分の部屋でぼんやりしていた。四畳半のせまいたたみの部屋には、南に向いたひじかけの出窓があり、この出窓の網戸をとおして、いくらかすずしい風がはいっていた。正子は窓によりかかったまま、すぐ外の物ほし台で、ひらひらしている洗濯物をながめていた。

正子はこれまで、こんなきみょうな物語を読んだことがなかった。日本のどこかの港町に、コロボックルという、三センチあまりしかない小人たちの住む小山があり、そこにはコロボックルの国ができているという。

(作り話のくせに、この話を書いた人は、まるでほんとうのことのように書いている)

正子はそう思った。そして、国がなりたつには、三つの条件があったはずだと、つい数か月前の、高校生にもどったようなことを考えていた。

(まず第一が、領土を持っていること、だったと思うけど。それから第二は、たしかそこに国民がいること、だったわ。最後が、ええと、なんだったかしら)

しばらく考えて、やっとひねりだした。

(第三は、国をおさめる政府があること、だったかな)

三つとも、あやふやではあったが、とにかく正子は、この三条件をコロボックルの国にあてはめてみた。

まず、領土はどうかというと、コロボックルたちには、領土といっていいような土地があるらしい。公式には、せいたかさんとよばれている、コロボックルの味方についた人間が、持っているのだが。

国民は、千人ほどのコロボックルが住みついているというから、問題ない。たった千人でも、国民は国民にちがいない。

国をおさめる政府も、どうやらある。政府といわずに役場といっているが、世話役という代表もいるし、相談役もいるという。『おきて』といわれている法律もあるようだ。

でも、と、正子は考えつづけた。そうはいっても、このコロボックルの国は日本国

の中にある。こんな場合はどうなるんだろう。コロボックルたちは、日本の国にこと

わって国をつくったわけではなく、かってにつくった。それでもやはり国なのだろう

か。

（へんな話）

ヘンな子の正子としても、そう思うよりほかはなかった。しかし、そのへんなとこ
ろに強く心をひかれていた。だいたい、領土がどうの、政府がどうのと、こむずかし
いことを考えるのは、もはやコロボックルのとりこになりかかっている証拠でもあっ
た。

窓の向こうは日がかげって、せみの声もかすかにきこえる。近くを走る郊外電車
が、トンネルをぬける音がする。そのトンネルの向こうには海があり、そこには大き
な港もある。

「まさか、この町のことじゃないでしょうねえ」

そう正子がつぶやいたとき、自分の目のはしを黒いかげが走ったように思って、び
っくりした。思わず、あらっと声をあげてしまい、あとはひとりで首をすくめた。い
くらなんでもこれはできすぎである。

やがて正子は、それまでひざの上にあった本をとりあげ、横の文机の上においた。

そのまま静かに立ちあがって、部屋からでていったと思ったら、ろうかのつきあたりの戸をあけて、物ほし台へでた。

そこでゆっくり洗濯物をとりこみながら、正子はときどき手を休ませては、空を見あげた。きれいな夕焼けがはじまりかけていて、物ほし台にはようやくすずしい風がわたっていった。こんな風にふかれると、夏の暑さももうそれほど長くはつづかないな、という気がする。

(秋は、すぐそこまできている)

正子はそう思い、洗濯物を手ばやくかたづけると、お勝手の仕事をてつだいに、下へおりていった。

「正子、おまえ、なにか気にいらないことでもあるのかい」

おかあさんが、そんな正子をつかまえて、そっとたずねたのは、ちょうどそのときだったのだが、これはもう、はじめのところで書いたのでやめておく。

8

じつのところ、世の中にはコロボックル物語のような型の話を、てんから受けつけない人がいる。きらいというよりも、おもしろさがよくわからないらしい。そしていっぽうには、こんな話が大すき、という人たちもいる。

なかには、夢のような話ならなんでもいい、なんていう見さかいのないのもいたりして、こんなのはかえって始末におえないものだが、もちろん正子はちがう。そして、いうまでもないことだが、小人がこの世に生きているなどとは、思いもしなかった。

ただ、こんなぎすぎすした時代なんだから、コロボックルでもいてくれたら、さぞほっとするだろうなあ、とは思った。それがきっかけで、お得意の空想をひろげていったのもたしかである。

そのつぎの日、正子は朝からなんとなく心がはずんでいた。はじめ正子は、なぜそんなにうきうきするのか、自分でもよくわからなかったのだが、すぐコロボックルの話に思いあたった。この小人たちのことを考えるのが、みょうに心楽しかったのだ。

家をでてバス通りまで歩くとき、バスにのっているあいだ、バスからおりて公園にはいるゆるい坂をのぼりながらも――図書館はその公園のすぐ下にある――考えた。坂道のとちゅう、右がわにれんが造りの門があり、前庭の植えこみのおくに、古いコンクリートの建物が見える。それがこの町の図書館で、近くたてかえられるといわれているが、いつのことか正子は知らない。

この高台までくると、すずしい南風がふきぬけていた。立ちどまった正子の、青いギンガムのワンピースがゆれた。木立のすきまから、町なみの屋根やビルが見えていて、その先には、うねるような丘がかすんでいる。

(そういえば、丘のずっと向こうに、あの話にでてきたような、小さな港町があったっけ)

ふいに正子はそう思った。その町のあたりは丘が海までせまっていて、緑の多いところだ。近くにはすてきなハイキングコースがあり、小学生のときに遠足で一度、中学生のときにはグループでいった。正子のいる町からは、郊外電車にのって三十分ほど南へいくことになる。

（あの町なら、そう、コロボックルの国があってもおかしくないな）

たしか、第三巻のどこかに書いてあった。駅前には海岸公園があって、きゅうな斜面はひなだんのようにきざまれていて、そこに家があぶなっかしくのっているのが見えると。

（あの町の駅前も、すぐ近くが海で、公園になっているし、町のようすもそっくり……）

そこまでまともに考えてきて、正子はおもわずびっくりした。まるで、コロボックルの国がほんとうにあるような気持ちで、あれこれ思いめぐらしているのに気づいたからだ。二、三度かるく頭をふると、正子は元気よく門の中にはいって、職員通用口から図書館に消えていった──。

その日も正子は、午後になって児童室へいった。アパッチ先生はるすだった。公園ではみんみんぜみが大声をはりあげていたが、今年はじめてつくつくぼうしが鳴いた。

（ああ、もう夏がいってしまう）

つくつくぼうしは、夏の終わりをつげるせみである。早く秋がくればいいと思いながら、夏がおわるのもどこかかなしい。

児童室は、思ったよりいそがしくて、よけいな考えごとはできなかった。貸し出していた本を返しにくる子が、かなりあったし、宿題の調べものに、グループでやってくる子どもたちもあって、いくら正子——ここでは杉岡先生——が注意しても、なんとなくばたばたとさわがしかった。

午後もおそくなって、ようやく静かになったころ、カードを整理していた正子は、いきなり「杉岡先生」と、元気な声でよばれた。

「はい」と、うつむいたまま返事をして、手もとのカードをかたづけ、頭をあげてみると、見おぼえのある目がわらっていた。ムックリくんだった。つれはなく、ひとりできたようだった。

「ひさしぶりね」と、正子はいった。

「うん、ぼくんちは遠いからね、そんなにしょっちゅうはこられないんだ」

ムックリくんはおとなっぽくいって、体をのりだした。

「ねえ先生、この前ぼくが教えてやった本、読んでみた？」

「ええ、読んだわよ、四さつとも。コロボックルのことなら、もうなんでも知っているから、ためしにきいてごらんなさい」

「だけどさ」と、きゅうに四年生の男の子にもどって、にやにやした。

「あの話、ほんとうはほんとうのところもあるっていうのは、知らないだろ」

「え、それ、どういうこと？」

意味がよくわからなくて、正子はききかえした。するとムックリくんはすこし声をひそめた。

「あのね、コロボックルってね、ほんとうはいまも生きているっていうこと」

正子はだまったまま、きかんぼそうな男の子の顔を見つめた。この子はわたしをからかっているのかな、と思った。

「でも、なんであなたが、そんなこと知ってるの」

「だって」

ムックリくんはまじめになにかいいかけたのに、とちゅうでやめて、あははとわらった。

「それはひみつだよ。教えてやったって、どうせおとなは信じないもんね」

「いいえ」と、正子はいった。

「信じるかもしれないわよ。わたしもすこしはほんとうのところが、あるんじゃないかなって、思っていたんだもの。ほら、あの話にでてくる小さな港町っていうのは……ちょっと耳をかしなさい」

9

　正子は、ちょっぴりいたずらっ気もあって、ムックリくんを手まねきすると、今朝思いついた小さな港町の名をささやいた。ムックリくんはだまってうしろへさがった。そして、あきれたようにいった。

「先生って、ずいぶんヘンな人だね」

「そのとおり」

　わらいもせずに答えて、ふいに正子は「あ、そうだ」といった。

「きみがきたらあげようと思って、家からもってきてるものがあるのよ。ちょっと待っててね」

　そのまま正子は、いそいで事務室の自分のつくえにもどった。そのひきだしの中から、北海道のアイヌの人が使うという、口琴《ムックリ》をとりだした。ふしぎな本を教えてくれたお礼に、こんどムックリくんと出会ったら進呈しようと思い、先週のうちにもってきてあった。

そろそろ夕方に近く、児童室はがらんとしていた。ムックリくんは、自分のあだ名と同じ名を持つ小さな竹の楽器をもらって、めずらしそうにひねくりまわした。説明書もいっしょにつけてあったが、正子は自分でやってみせた。

「ほら、こんなふうにするのよ」

輪になったほうの糸を、左手の小指にひっかけてもち、なかばあけた口の前でささえる。もう一本の、短い竹ひごのついた糸を右手でもって、ぴんぴんとひくと、竹べらのような部分がふるえて、かすかな音がでる。この音を口の中にひびかせて、高い音や低い音にかえる。北海道の叔父さんは、ビーンビーンとじょうずに鳴らしてみせたのだが、正子は形だけで、まだいい音はでない。

その正子に手をとって教えてもらったが、ムックリくんにもやはり鳴らせなかった。それでもうれしそうにお礼をいい、「またくるね」といって帰っていった。

ようやく時間がきて、児童室をしめるために、正子はあちこちを見てまわった。そのときになって、ムックリくんの本名をきいておけばよかったな、と思った。あの子は読書カードを持っていないのか、それとももっていても見せなかったのか、どちらにしても本は借りなかった。前にきたときは、小さな専門家らしく鉄道の本のことをきいていたが、どこから見たって、あだ名の由来にふさわしいわんぱく小僧にちがいない。

それが、コロボックルの本をよく知っていたばかりか、あれはほんとうのことだ、なんていいだすところを見ると、あんがい、空想ずきの心やさしい少年なのかもしれなかった。なにかひみつを知っているような口ぶりだったのは、たぶん、子どもらしい空想をひろげているのだろう。

(でも、もしほんとうにコロボックルが生きているとして、あのムックリくんがそのことを知っているとしたら、これはどういうことになるのかしら)

正子は、いつのまにかまたコロボックルのことを考えていた。空想するのは子どもばかりとはかぎらないのである。

(きっと、あの子は『コロボックルのトモダチ』のひとりということになるんでしょうね。たとえば、四さつめの本にでてきた、ふしぎな目をしたタケルくんのように)

みだれた本だなを手ばやくととのえながら、正子はしばらくそのことを考えつづけていた。すると、手がとまって声がでた。

「だけど、そうなると矛盾が起こるわ」

コロボックルのトモダチというのは、たしか、コロボックルの国のくわしい事情などは、いっさい知らされない、と書いてあった。それなのに、あの四さつのコロボックル物語を読んでしまえば――ムックリくんはたしかに読んでいる――、みんな知ってしまうではないか。コロボックルたちがいくらかくしたって、これではしりぬけでなんにもならない。

(でも、あのかしこい小人たちが、そんなうかつなことをするだろうか)

正子はつい真剣になった。これにはなにかわけがあるにちがいない。もしかするとあの四さつの本で、コロボックルたちは人間をためしているのかもしれない。あの物語を読んだときに、どんなようすを見せるか――おもしろがるとかばかにするとか――、近くにかくれていて、じっと見つめているのかもしれない。

よく考えてみると、あの四さつの本を、いくら目をさらのようにして読んでも、コロボックルの国がどこにあるのか、さっぱりわからないし、味方になっているというせいたかさんも、いったいどこのどういう人なのか、まったくわからないようになっている。正子はひとりでうなずいた。

(知らせたくないことは、ちゃんとかくしてある。かんじんなことはなにも書いていないものね)

あの本を読んでわかるひみつといえば、日本のどこかにコロボックルの国がある、ということだけだ。とすると、あの物語はそれを知らせたくて書かれたものだろうか。

「あらら」

正子は思わず、おどろいてそんな声をあげた。またもや、コロボックルの国がほんとうにあるつもりになって、むちゅうで考えているのに、自分で気がついたからだ。こんなところを人に見られたら、だれだって『ヘンな人』と思うだろう。

ひとりで顔を赤くした正子は、本だなをかたづけると、あとはなるべくコロボックルのことを考えないようにして、事務室へもどっていった。

10

三日ほどたって、また正子は、児童室のるすばんをいいつけられた。この日もいそがしい思いをした。夏休みが終わりに近づくと、子どもたちはせかされるようにして、図書館へやってくるらしい。

やっと子どもたちがいなくなったあと、いつものように正子はあとかたづけをした。返されてきた本が多く、本だなにもどしたが、はいりきらないのをかかえて、おくの書庫へはこびこんだ。この書庫は児童室につながったせまい部屋で、小さな換気窓が一つしかない。しかし、児童室とのさかいのドアをあけておくと、けっこう風がぬけていく。

あいているたなの前に立ち、本の番号をあわせながら一さつずつ本をおさめていると、目のはしで動くものがあった。ちらりと横目をしてみると、小さな黒っぽい虫のようなものが、たなのおくに消えていった。あれほど熱心に、コロボックルのことばかり考えていた正子だったのに、このときは考えつきもしなかった。

ここは公園の木立が近い。中庭のにせアカシアのえだも、小窓にふれそうになっている。かなぶんか、かみきりむしか、そんなのがまよいこんだのかもしれないと思い、おそるおそるのぞきこんだ。すると、そこには小さな小さな人がいて、正子に向かって手をあげてみせた。そして、さっと向こうがわへ消えていった。

正子の手から、本がパタリとゆかに落ちた。しばらくそのままじっとしていたが、やがて、ゆっくりかがんで本をひろいあげ、ていねいにたなへいれた。のこりの本もそれぞれかたづけてしまうと、小さな換気窓をしめ、ドアに向かった。

そこで立ちどまって書庫をふりかえり、またもどった。いましめたばかりの窓をあけて外をながめた。それから、ほんのすこしすきまをあけて窓をしめた。それだけでさっさと書庫をでると、ドアをぴっちりとしめ、何事もなかったように児童室のつくえにもどった。そこへアパッチ先生がはいってきた。

「やあ、ごくろうさん」

暑さを感じていないような、元気な声でいった。白い半そでのブラウスに、クリーム色のスカートで、白い中ヒールのくつ、頭には大きなつばのついた白いぼうしをまだかぶっていた。両手がふさがっていて、とれなかったのだろう。

「ほら、おみやげだよ。あっちの人たちの分はないから、ここでないしょに食べよう」

いいながら、にこにことアイスクリームのはいった袋をさしだした。

「うまいものは小人数でくえ、っていってね、むかしの人もやっぱりけちだったんだね」

ぼうしをそっととりながら、アパッチ先生はおもしろそうにわらった。つられて正子もふふっとわらった。おかげでいくらかおちついてきたが、やはり気持ちはふわふわしていた。いくらなんでも、ほんものの小人がいるなどと、すなおにみとめるわけにはいかなかった。

（だけど、さっきのはなんだったんだろう）

頭の中は、まとまりのない考えがどうどうめぐりしていた。自分がおさないころに考えた——そしていまもけっしてわすれていない——自分の守り神のことが、いやでも思いだされた。しかも、ぬいぐるみの服を着た小さな神さまを、見たと思ったことさえある。

たぶんあれは、虫だったのだろうと、内心は考えていたが、こうなるとあれだってほんものの小人だったのかもしれない。そうすると正子は、もう二度も小人に出会っていることになる。

（いや、小人でなくて、二度ともやっぱり虫だったんだろうか）

そんなことをくりかえし考えていたのだが、例によってはたから見ているかぎり、正子にはかわったところもなく、いつものようにるすばんの報告をすませたし、庶務主任の浜村さんにも、先輩たちにも、きちんとあいさつして、何事もなかったように図書館をでた。

こんがらかっていた頭が、すこしずつほぐれてくるにつれ、正子はだんだんおもしろくなってきた。虫でも小人でもいいから、なんとかしてもう一度ゆっくり会ってみたいものだ、という気がした。あんな短い時間では、どうしたって、はっきり見きわめるわけにはいかないではないか。

(でも、きっと会えるわ。だって、二度あることは三度あるっていうもの)

家に帰りつくころには、もうそんなことをのんきに考えていた。このへんが、正子のすばらしいところである。こんなりくつにあわないできごとに出会っても、なんとか丸ごとのみこんでしまう。それだけ広く深い心をもっているのだった。

その夜おそく、二階の自分の部屋へはいった正子は、文机の前にきちんと正座し、電気スタンドをつけると、日記帳をひろげた。小学生のころから、ずっとつづけている日記だが、いまでは書きたい日はすきなだけ書き、めんどうな日は、ほんの一、二行ですます、という書きかたになっていた。

さすがにその日は、どう書いていいか、正子にもよくわからなかった。もともとは、あの四さつの本が、はじまりだった。作り話だと思って読んだのだが、もしかするとそうではないのかもしれない。

だいたい、あの本を書いた作者は、どんな人なのだろう。コロボックルについて、どこまで知っているのだろう。本の中にでてくる「せいたかさん」と作者とは、どんなあいだがらなのか。同じ人のようにも思えるが、どうなんだろう——。

ふと思いついて、その日の日記は、作者あての手紙の形で書いた。あとになって正子は、このままそっくり、びんせんに書きとって、あのきみょうな四さつの本を書いた作者へ送ったのである。それはつぎのような文面だった。

　はじめまして。わたしは今春高校をでた見習い女子事務員です。御作のコロボックル物語を、四さつともたいへんおもしろく読ませていただきました。そこで質問があります。

一、作者とせいたかさんは、同一人ではありませんか。もしちがうとすれば、おふたりのあいだがらは、どのようなものでしょうか。

二、おふたりが別人の場合、作者はコロボックルの味方ではないのでしょうか。たぶん、おいそがしいと思いますので、直接お返事をいただけなくてもかまいません。でも、いつか続編をお書きになるときに、どこかへちょっとつけくわえておいていただけたら、と思います。

　どうかよろしくお願いいたします。

杉岡正子

追伸　わたしが小人を見た、といったら信じていただけますか。

まくあい

作者

物語の前におくのが『まえがき』で、あとにつけるのが『あとがき』なら、とちゅうへはさみこむのはなんだろう。すじをとおせば『なかがき』になるかもしれないが、こんなことばはきいたことがない。とりあえず芝居をまねて『まくあい』としておく。

第一章の終わりで、主人公が書いた手紙を受けとったのは、いうまでもなく、こうして五さつめのコロボックル物語を書いている作者である。なりゆきとはいえ、主人公をつとめてくれている、杉岡正子というおねえさんは、あれよあれよというまに、物語の中で作者あての手紙をだしてしまった。

こんなところへ、作者が顔をだすつもりはなかったのだが、正子のよこした質問には、答えておいたほうが、このあとの話にもつごうがよさそうである。そこで、一章と二章のあいだに、正子への返事をわりこませておくことにした。

「せいたかさんというのは、作者のことではないのか」

この質問は、これまでにもたくさんもらっている。たいていの場合は、「さあ、どうですかねえ」などと、はぐらかすことにしてきた。しかし、せっかく物語に顔をだしたことでもあり、この機会にはっきりさせておこう。

わたしとせいたかさんはちがう。せいたかさんはせいたかさん、わたしはわたしだ。それなのに、このふたりが混同されやすいのは、わたしがわざとそのように書いたためだろう。あの心豊かな〝せいたかさん〟にまちがえられるのなら、わたしにとっては光栄だという思いがあり、せいたかさんも、おもしろがってわたしをけしかけたりしたものだから、こうなってしまった。

とにかく、いろいろな点で、せいたかさんはわたしよりもすぐれている。わたしよりもまじめで明るく、わたしより格段にハンサムで、ギターもわたしよりずっとうまい。人にすかれ、人にたよりにされるという点では、わたしなど足もとにもおよばない。ふたりとも旧制の工専（現在の高等専門学校にあたる）をでているところは似ているが、学校もべつだし、学科もちがう。わたしは建築科だったが、向こうは電気科をでている。

　ふたりがそっくりなところというと、年齢と背たけぐらいだろうか。子どものころからずっと、この二つだけはかわらなかった。もっとも、年齢のほうはかわるわけがないが。

　さて、こんな答えかたをすれば、正子でなくても、二つめの質問がくるのは当然である。

「**では、作者とせいたかさんは、どんなあいだがらなのか**」

　残念ながら、この質問にはほとんど答えられない。わたしたちふたりのあいだには、たいせつな約束事があって、これはやぶるわけにはいかないものだ。だから、せいぜいつぎのようなことしかいえない。

　わたしとせいたかさんとは、おさななじみの古く深いつきあいだが、いまではめったに会わない。それでも連絡をつけようと思えばいつでもできる。たとえば、こんなふうにコロボックル物語を書いているときなどは、たがいによく連絡しあう。そのかわり、書いていないときは、音沙汰なしで何年もすぎたりする。おさななじみのつきあいなんて、たいていそんなものだろう。

「作者は、コロボックルの味方ではないのか」

正子の手紙でもそうだが、この質問もかなり多い。せいたかさんにいわせると、わたしは味方ではないが、別格なのだそうだ。この点については、あとでもうすこしくわしく述べるつもりだが、わたしはせいたかさんをつうじて資料を受けとり、コロボックルが発表してもいいと考えたことだけを、物語にしている。このいきさつも、いずれあとで書くことになるだろう。

とはいえ、わたしはまだコロボックルとは会ったことがない。どう考えてみても、わたしがほんものの小人に出会ったりすれば、せいたかさんや、ママ先生や、おチャ公や、タケルや、そしてこの本の杉岡正子のように、冷静にしていられるかどうか、まるで自信がない。そのことは、調査のゆきとどいているコロボックルのことだから、知らないはずはなく、それでいつまでたっても、すがたを見せてくれないにちがいない。

じつをいうと、こんなふうにわたしが物語のとちゅうで顔をだすについては、予定になかったことでもあり、せいたかさんに電話をしてことわっておいた。そのとき、おもしろいことがわかったので、ここにつけくわえておく。

わたしが、杉岡正子から受けとった手紙について説明をすると、せいたかさんは電話の向こうでいった。

「その子に姿を見せたコロボックルのむすめから、報告がはいっているよ」

「そうか、早いな」と、わたしは感心していった。

「いずれ、もっとくわしい資料がもらえるんだろうね」

「もちろん」

せいたかさんは楽しそうだった。

「あれはスギの一族でね。スギノヒメ＝ツクシ、またの名ツクシンボ、だそうだ。きみも知っているスギノヒコ＝フエフキとはいとこにあたる。といっても、フエフキはクリの一族から養子にきたんで、血はつながっていないがね」

「なるほど」

「あの一族には元気者が多いんだが、この子も例外ではないな。おまけに子どものころから、いっぷうかわった子だったそうだよ」

「なるほど」

わたしは、受話器を持ったまま考えた。『ヘンな子』と『かわった子』か、いい組み合わせだな――。

「おい、きいているんだろうね。正子という子については、知らせておきたいことが、もう一つあったのを思いだしたよ」

そして、これも意外なことを教えてくれたのだが、こっちは物語にもどったうえで、おいおい話すことにしたい。

第二章　わたしはコロボックル

1

スギノヒメ＝ツクシ。まだ年わかいむすめコロボックル。名前からしてかわってい
る。おさないころはツクシンボとよばれていたそうで、親しいものはいまでもそうよ
ぶ。それで、この物語でもツクシンボとよぶことにする。

なぜツクシというよび名がついたかというと、母親がスギノヒメ＝スギナといった
ので、その子だからツクシなのだという。コロボックルたちは、こんなことば遊びの
ようなことから、よび名をつけるのがすきである。

ついでだからいっておくが、コロボックルのよび名は、人間の名前と同じようでい
て、いくらかちがうところがある。気にいらなくても、自分でかえるわけにはいかな
い、という点では同じだが、家族や友人たちがかえるのなら、かまわないのである。
つまり、よび名はよぶものがきめるので、よばれる本人は受けるだけとされている。

人間の場合の、あだ名や愛称に近いともいえるが、コロボックルにも愛称のたぐい

はあって、これはよび名とは区別される。スギノヒメ＝ツクシでいえば、「ツクシンボ」というのは愛称である。

ただ、よび名をもたない——あっても使わない——コロボックルが、まれにある。マツ族とかスギ族とかの一族を代表しているしるしで、たいへん名誉なこととされている。こういうコロボックルは、たとえば「マツノヒコ」とだけよばれるようになる。いま、世話役をしているヒイラギノヒコが、わかいころからそうだった。

さて、ツクシというよび名の、ツクシンボという愛称をもつこのコロボックルは、たしかに、かわりだねだった。なんとなく気位の高い子で、いくらよび名がツクシでも、あんなにつんつんしなくたっていいじゃないの、なんてわるくちをいわれたりした。そこでこの子についても、ざっと生い立ちをふりかえってみる。

度胸がよく、小さいころからひとりでどこへでもいってしまうので、おかあさんのスギナもなれてしまい、姿が見えなくなっても、あまり心配しなくなったほどだという。つきそいなしに、子どもが国の外へでてはいけないのだが、ツクシンボは何度かぬけだそうとして、そのたびに見張りにつれもどされた。

もしかすると、見つからずにでていったことも、あったのではないかと思うが、これは本人がなにもいわないのでわからない。

やがて、コロボックルの学校をでると、すぐコロボックル通信社にいれてもらい、見習い通信員になった。この通信社は、『コロボックル通信』という新聞を発行している。そしてツクシンボは、ひそかに『狩り』について学んだ。

ひとりで外にでているときの心得、たとえば、寝場所のさがしかた、食料の入手法、雨の日のすごしかた、雪の日のすごしかた、風の強い日の注意、いぬ・ねこ・ねずみ・鳥・へびにたいする注意、人間の交通機関の利用法などなどである。見習い通信員の資格で、ときどき小山からだしてもらい、実地にためしてみることもあったようだ。

もともと、女のコロボックルは、おとなになってもコロボックルの領地である小山から、あまり外へはでたがらない。長いあいだ、女は狩りにでることを禁じられていたので、そんな気風がまだ尾をひいているのである。しかし、この古い考えも、ツクシンボのようなわかいむすめたちによって、すこしずつあらためられはじめていた。

そのうちに、ツクシンボは、人間の世界について、もっとくわしく知りたいと思うようになり、理由をつけては小山からでていくようになった。とくに、人間が使っている道具や器具のしくみ、たとえば電話について、テレビについて、魔法びんについて、冷蔵庫について、自動販売機について、換気扇や通風装置について、とにかく調べてみたいことは山ほどあった。

通信員としての仕事ぶりも、そのころから、すこしずつみとめられるようになった。目のつけどころが、いっぷうかわっていておもしろいというのである。そうなると、ほとんど毎日大いばりででかけていくので、おかあさんもなかばあきれていった。

「おまえ、いったい外でなにをしているの。すこしはおちついて、女らしい仕事もおぼえなくちゃ、お嫁のもらい手がありませんよ」

「ええ、でも」と、ツクシのツクシンボは答えた。

「あたし、ちょっと考えていることがあるの。だからおかあさん、もうすこし待っててね」

そして、あいかわらず外へでていった。たまに家にいるな、と思うと、ひとりでとじこもって、しきりに書きものをしてすごした。

そのツクシンボの考えていること、というのが、じつはびっくりするような大きな夢だった。いままでコロボックルがだれもいったことのない、広い世界を見てきたい、という夢だ。もちろん日本国内を手はじめに、やがては遠い外国へも足をのばし、まるい地球をひとめぐりしてきたい。たったひとり、だれにも知られずに、こっそり世界をまわってきて、自分の見てきたこと、きいてきたことを、くわしく旅行記に書きたい。

そんなないしょの計画が、ツクシンボのむねに、いつのまにか育っていた。しかも、この計画は自分の力だけで進めようと決心していた。そのために、このコロボックルむすめは、いっそうつんつんしているように見えた。

2

ちょうどそのころ、というのは三年あまり前の春さきのことだが、思いがけないことに、せいたかさん一家が、小山から引っ越しをすることになった。それまでは、小山の三角平地に、小さな家をたてて住んでいたのだが、この家をしめ、すこしはなれた大きな町へうつった。

せいたかさんが、その大きな町にある営業所の主任技師になったのが、きっかけだった。小山からも、車を使えばかよえないところではなかったが、営業所の近くに社宅があった。もともと、引っ越し先の町は、せいたかさんが小学校四年から一人前のおとなになるまで、ずっと住んでいた町である。せいたかさんにとってはなつかしい町でもあり、知人も多かった。

小山の小さな家は、しめたといっても、人にかしたり、しめっぱなしにしたわけではない。せいたかさんは家族に向かって、こんなふうにいった。

「これからは、ここを別荘ということにしよう。あまり別荘らしくないけれども。それで、ときどきみんなでとまりにきて、手入れをしたりそうじをしたりしよう」

「さんせーい」と、ふたりの子どもは大喜びをした。

この子どものうち、おねえさんのほうは、おさないころから「おチャメ」とよばれていた子だが、その子が中学三年生になっていて、高校進学を間近にひかえていた。もうひとりは弟の男の子で、まだ六つになったばかりだった。この男の子は、ベッソウというのがよくわからずに、ただおねえさんといっしょになって喜んでいただけだ。そしてこの子も、まもなく小学校へ入学する年だった。

そろそろ手ぜまになっていたし、ふたりの学校のことを考えると、引っ越しにはこの年の春がいちばんよかった。せいたかさんが思いきって小山をはなれる決心をしたのは、そんなことも考えあわせたうえのことだった。

もちろん、このことは、コロボックルも承知していた。せいたかさんとママ先生は、なによりもまずコロボックルに相談した。ふりかえってみると、もともとこの三角平地に家をたてて住むようにすすめたのは、コロボックルである。

「この小山の正式な持ち主は、一日も早くこの小山にきて住むべきだ」

そういって、まだ年もわかく、結婚してまもなかったせいたかさんをつかまえては、熱心にふきこんだ。それでせいたかさんもとうとうその気になり、ほとんど借金ばかりで、なんとかちっぽけな家をつくった。

これが、なかなか住み心地のいい家だった。小山の自然とコロボックルたちにかこまれてくらすのは、どこか信仰あつい人の生きかたに似ていて、きみょうなきびしさとやすらぎが生まれた。おかげでわかく貧しいせいたかさん一家は、ここで十数年をじゅうぶん幸せにすごしてきたのである。

それでせいたかさんは、自分の決心をすなおにコロボックルにつたえ、こまかい打ち合わせをしたあとで、こんなことをつけくわえた。

「ほら、ずっとむかし、まだこの小山になにもなかったころ、いまきみたちが『城』に使っている小屋をたてて、ときどきとまりにきたじゃないか。あれをまたやろうと思うんだが」

「うん、あれは楽しかった」

話をきいたヒイラギノヒコ世話役も、ふっとなつかしそうな目つきになってうなずき、静かにいった。

「正直なところをいえば、せいたかさん一家にでていかれるとなると、しばらくはさびしくてたまらないと思うがね。しかし、それほど遠くへいくわけでなし、こまることはなにひとつない。るすはわしらでしっかりまもるから、安心してくれ」

たしかに、これほど心強いるすばんはあるまい。コロボックルの目をぬすんで、この小山をあらすことは、だれにもできない。

そして、せいたかさんと世話役は、新しい引っ越し先に、コロボックルの連絡班をおくことをきめた。せいたかさんにもママ先生にも、それぞれ連絡係がひとりずつついていたが、おチャメさんにもこの機会に連絡係をつけたほうがいいだろうという、世話役の考えで――この子はとうのむかしにコロボックルのひみつを知っていた――新しく連絡係をえらぶことになり、この三人の連絡係のほかに、クマンバチ隊員が数人、こうたいでつくことがきまった。

その当時、せいたかさんとママ先生の連絡係をしていたのは、ヤナギノヒコ＝ネコと、その夫人のヤナギノヒメ＝テマリの夫妻である。ネコはかなり前、マメイヌ発見チームの一員だったし、狩りの名手で、ネコというよび名も、足音をたてないところからきている。ずっと、学校で子どもたちに狩りのしかたを教えていたが、そのうでと、もの静かな人がらを見こまれて、せいたかさんの連絡係になった。

夫人のテマリのほうは、やさしい女コロボックルだった。ふくふく太って、手まりのような体つきをしている。テマリというよび名にふさわしいコロボックルだが、じつは男まさりのばねの持ち主で、いざというときには、それこそ、手まりがはずむようなすばしこさを見せる。

この、ネコとテマリ夫妻にはまだ子どもがない。ママ先生は、もし子どもができても、ずっと連絡係をつづけてほしいといっている。

そして、おチャメの新しい連絡係には、何人かの候補者の中から、サクラノヒメ＝オハナがえらばれた。この子は、まだ十になったかならないころ、例の『ミツバチ事件』（第三巻）で大かつやくした天才少女である。えらばれたときは、たしか十七さいになっていたと思うから、おチャメよりはいくらかおねえさんだったが、ふたりはすでに顔見知りでもあり、連絡係としては申し分なかった。

なお、このときの候補には、わがスギノヒメ＝ツクシも——本人は知らないが——はいっていた。しかし、まだ十四か十五のころで、いくら有能であるとはいえ、小山から遠くはなれるとなると、オハナにくらべて経験不足はあきらかだった。

じつのところ、優秀なオハナにはべつの仕事も考えられていたので、もしせいたかさん一家がずっと小山にいたとすれば、ツクシンボのほうがえらばれていたかもしれない。

3

こうして、大きな町の高台にあるせいたかさんの家には、新しいコロボックル連絡班が、ネコを班長にして生まれ、その詰め所が、人間の目にはわからないかべの中に、コロボックルの手でたくみにつくられた。小山の地下にある、コロボックルたちの家とそっくりだった。

かべの中には、小さな部屋がいくつか、ジグザグに、そして段ちがいにつみかさなっていた。人間のいいかたでいえば、五階建てくらいにあたる。コロボックルたちは、横にひろがる家よりも、たてにつみかさなる家をつくりたがるが、人間とちがって、上から下に向かってつくる。つまり、そういう作りかたのできる場所をえらぶということだ。

ここに詰め所ができたことは、ツクシンボにとっても、たいへんつごうがよかった。というのは、先にとどけをだしておけば、だれでもここに立ちよって、休んだり、ときにはとまっていったりすることも、ゆるされていたからである。

さすがはツクシンボで、この遠い町へも、すでに一回だけきてみたことがあった。せいたかさんがむかし住んでいたころ、コロボックルの何人かがここまできている。小人たちにとっても、この町はゆかりの土地なので、ツクシンボもきてみたのだ。しかし、そのときは道をおぼえるのがせいいっぱいで、すぐにもどった。

つぎにいくときは、とまりがけでゆっくり見てまわろうと思いながら、なかなかできなかった。それが、この詰め所を足場にすればらくにできる。すくなくとも野宿をしないですむだけでもありがたい。さっそくツクシンボは、通信社に申しいれて、新しい連絡班と新しい詰め所の訪問記事を書く仕事をもらい、いさんででかけていった。

その日の昼ごろ、ぶじツクシンボが詰め所にあらわれると、見張りに立っていたクマンバチ隊員が、びっくりしていった。

「おや、きみひとりかい」

そして、小さなツクシンボの頭ごしに首をのばして、かべの中につくられているほの暗い通路をのぞきこんだという。まさか、こんなわかい女の子が、ひとりでやってくるとは思ってもいなかったのだろう。

「わたし、ひとりです」

つんとすまして、ツクシンボは『立ちより許可証』をさしだした。内心は、たのもしいクマンバチ隊員の顔を見て、ほっとしていたのだが。

この第一回の訪問のとき、ツクシンボは、はじめてサクラノヒメ＝オハナと知り合いになった。天才少女オハナの名は、当時の女の子ならだれでも知っている、あこがれの名である。そのオハナが、たったひとりでやってきた元気な後輩を、自分の部屋――詰め所とはべつのところにある――に招待してくれ、そこにとめてくれた。

めずらしくかちかちにかたくなっていたツクシンボを、オハナは前からの友だちのように、気軽にもてなした。オハナというコロボックルは、見たところどこにでもいるようなむすめで、これが折り紙つきの〝切れ者〟だなんて、とても思えない。だからこそ、ツクシンボのような鼻っ柱の強い子も、オハナを知ってからはいっそう尊敬するようになった。

ツクシンボは、それからあと、何度もこの大きな町の新しいコロボックルの詰め所をおとずれた。たいていはオハナの部屋にとめてもらったが、いつもというわけではなく、日帰りすることもあった。なれてくれば朝きても、夕方まだ日が落ちないうちに、ゆうゆうと小山までもどれた。

すっかりオハナと親しくなってから、ツクシンボは、このおねえさんのようなコロボックルに、よほど自分の大きな夢をうちあけてしまおうかと思った。きっといい相談相手になってもらえるという気がしたのだが、しかしそのたびに、やっぱりできるところまでは、ひとりでやってみようと思いなおした。

そんなツクシンボに、あるときオハナがふっといった。

「ツクシンボは、学校へいってみるといいわ」

「えっ」と、ツクシンボが見かえすと、オハナはおっとりとつづけた。

「もちろん、人間の学校よ。わたしはおチャメさんのおともで、ときどき高校をのぞいてみるけれど、なかなかおもしろいの。あなたもいってみたらどう。きっと役にたつわ」

「はあ」

ツクシンボは、なんだか心の中を見すかされたような気がしたものの、うれしかった。コロボックルの中には、超能力の持ち主がたまにいる。もしかしたら、オハナは人の心が読めるのかもしれないと、ツクシンボは考えた。

そこで、いわれたとおり、学校めぐりをはじめた。といっても、小山の近くの小さな港町の話だ。とりあえずは小学校、やがて中学校へいくようになった。社会科の時間がツクシンボにはおもしろく、なかでも地理の勉強はためになった。とくにツクシンボは、地図に興味を持った。

コロボックル小国のある港町の地図なら、古いものだが、コロボックルの城にかざってある。せいたかさんがむかし小山にこの小屋をたてたとき、持ってきたもので、いまはがくぶちにいれてある。地図の上には大きな矢じるしが書きこまれていて、小山の位置をしめしている。この地図と矢じるしが、コロボックル小国の国旗に図案化されたことは、ツクシンボもよく知っていた。

その古い地図をつくづくとながめながら、ツクシンボは思った。

(もっと広いところのわかるような、くわしい地図を調べてみたいな)

4

いままではコロボックルの味方がいるので、たとえばおチャメさんにたのめば——オハナをとおして——日本じゅうの地図が見られるだろう。ほかに道路地図などもせいたかさんはたくさん持っていたし、見たいだけ見せてくれるにちがいない。

でも、いじっぱりのツクシンボは、自分で地図をさがしてみた。その気になってみると、この地方の地図はあちこちで見つかった。小学校のろうか、中学校の教室、郵便局・駅・銀行などだ。ところが、どれもかべにはりつけてあってとても見にくい。

コロボックルの目は、人間よりもずっといいので、かなりはなれたところからでも、よく見える。でも、たとえば地図の上で距離をはかりたいときなどは、たいへんめんどうなことになる。ツクシンボのことだから、くもの糸を使って、軽わざのように天じょうからさがって見る、なんていう芸当も平気だったが、人目があってはどうにもならない。しかたがないから、だれもこない休みの日まで待たなければならない。

そんな苦労をしながら、ツクシンボはすこしずつうつしとって、自分の地図をつくってみた。しかし、半年かかってようやく略図のようなものができただけだった。もうすこしくわしい地図をゆっくり調べる時間がほしいと、ツクシンボは心から思った。

（やっぱり、せいたかさんのお世話になったほうがいいかなあ）と、さすがのツクシンボもあきらめかけた。すると、またオハナがこんなことをいった。

「いつか、ここの町の図書館へいってみたら。わたしはおチャメさんのおともで、二、三度いったことがあるんだけど、たいくつまぎれに建物をすっかり探検してみたの」

いいながら、いたずらそうな目つきになって、ふふふっとわらった。

「館長さんのお部屋へいってみたらね、ガラス板をのせた大きなテーブルがあって、そのガラスの下に、テーブルいっぱいの大きさの地図がはさんであったわ。いまでもそのままかどうか、いってみなさいよ。たしか月曜日が休館日だったはずよ」

ツクシンボは、もちろんオハナに地図のことなど、話したことはなかった。でも、そのときはすなおに答えた。

「はい、いってみます」

そして、町の丘の上の公園にある図書館を教えられ、ツクシンボははじめてのぞいてみることになったのである。館長さんの部屋のテーブルはオハナのいったとおりで、それからツクシンボは何度もこの図書館へかよい、おかげでりっぱな地図をしあげることができた——。

ここまで話してくれれば、せいたかさん一家の引っ越し先というのが、あの杉岡正子の住む町だと、だれでも気がつくにちがいない。とはいえ、ツクシンボが図書館へかよっていたころは、杉岡正子もまだ高校生で、図書館にはいなかった。

ついでにあっさりうちあけてしまえば、その杉岡正子の高校時代に、たったひとりの友だちだった「チャムちゃん」という同級生は、せいたかさんのむすめ、あのおチャメさんのことだった。

小学生のころのおチャメさんは、上級生のがき大将と知り合いで、この子が「やい、チャメ」なんてよんだものだから、いつのまにかみんなが「チャメちゃん」とよぶようになった。中学校に進むと、小学校がいっしょだった友だちが、同じように「チャメちゃん」とよび、やがてそれがなまって「チャムちゃん」になった。

「チャーミングを略して、チャムよね」なんていうかってな由来は、もうそのころからついていたようである。

当時のチャムちゃんは——以後この物語でもそうよぶことにする——すでにふっくらとした美少女になっていて、だれからもすかれていた。そのためか、級友だけでなくて、上級生も下級生も、先生までも「チャムちゃん」とよぶようになってしまった。

そして、三年ちょっと前のこと、中学三年の三学期に大きな町へうつってきた。転校はしたくなかったので、ほんのしばらくのあいだ、もとの町の中学校まで電車でかよった。ほどなく、近くの女子高校へ進んだが、たまたま同じ中学からきた子がもうひとりいて、その子が「チャムちゃん」という愛称を、高校にも持ちこんでしまったのである。

この高校で、チャムちゃんは杉岡正子と出会った。やせてちびのくせに、どこか優雅な身のこなしをする静かな子にひかれ、ひとりでぼんやりしているのがすきなチャムちゃんは、めずらしく自分から近づいていった。

このあたりは、前に正子のほうの立場から述べておいたので、やめておく。ただチャムちゃんとしては、この無口な子といっしょにいるだけで、ふしぎなくらい心が休まった。

「なぜかしらねえ」と、連絡係のオハナをつかまえて、こういったことがある。

「わたしって、あなたがたコロボックルを知っているっていうことが、誇りでもあるけれど、きっと重荷でもあるのね。だって、うっかり他人に話さないように、いつでも気をはっていなくちゃならないんですもの」

こんなときのオハナは、うなずくだけで、だまってきいてくれる。

「それなのに、あの杉岡正子さんが相手だと、ぜんぜん気をつかわないでいられるのよ。うっかりしゃべったとしても、あの子なら平気でききながしてくれるような気がするの」

そして、みんなはヘンな子っていうけれども、わたしはずっと友だちでいたいと思うが、どうか、とたずねた。

「そうね、わたしも賛成よ。あの子は、あなたにとってきっとたいせつな友だちになるわ」

オハナはそういった。小さなコロボックルとはいえ、オハナはチャムちゃんより二つ三つ年上で、たびたびいうように利発なむすめだったから、正子の人がらもとうに見ぬいていたのだろう。

5

やがてチャムちゃんは大学へ進み、正子ともあまり会えなくなった。しかし、会っても会えなくても、チャムちゃんにとっては同じことで、友だちにかわりはなかった。

そして夏がおわるころ、チャムちゃんは正子のうわさを、思いがけないところからきいてびっくりした。

「ねえ、おねえちゃん、これなんだか知ってる？」

そういいながら、チャムちゃんの部屋にはいってきた弟が、得意そうに見せたものがある。

午前中のまだすずしいころだった。チャムちゃんは、休みあけの試験にそなえて、むずかしい本を読んでいたが、顔をあげて、「さあ、なにかしらね」といった。

もしも、この弟の姿を正子が見たら、さぞおどろいただろうと思う。というのは、この子はあのムックリくんだったのだ。どうりで正子は、この子の目を見たとき、だれかに似ていると思ったはずである。

ムックリくんはおねえさんのチャムちゃんとそっくりな、切れ長な目をもっている。ただ、男の子らしく口が大きくて、まゆ毛がつりあがっていて、いかにもきかんぼうそうな顔つきをしているので、まさかあのやさしい美少女の弟とは思いつかなかったのだ。しかし、こうしてふたりがならんでいると、姉弟だというのはよくわかった。

ここではじめて——正式に——登場したムックリくんは、この物語にとっては、いわば〝おくれてきた子〟である。前にもいったように、このときようやく小学校四年生だった。

この子は、うまれたときから、ごくしぜんにコロボックルたちとつきあっていた。せいたかさん夫妻とヒイラギノヒコ世話役の考えで、そんな育てられかたをしたのである。これは第四巻にでている、ふしぎな目をしたタケルくんの例にならったものだった。だからムックリくんは、このひみつに気づいておどろいた、というおぼえはない。むしろ、こんなことを大多数の人が知らないと気づいたときに、ずっとおどろいた。

したがって、このひみつについては、気やすく他人に語ってはいけないということを、きびしくしつけられた。そして、こうしたとんでもない事実を、ムックリくんは親ゆずりの気性で、とまどいながらも、なんとか受けいれていった。

さて、話をもとへひきもどして、チャムちゃんは弟のさしだした小さな竹べらのようなものを手にとって、ふしぎそうにながめた。

「ねえ、これ、いったいなんなの」

「これはね」

ムックリくんはもったいぶって答えた。

「アイヌ語で、ムックリっていうんだって。アイヌの人が使う楽器なんだってさ」

「あら、それじゃ、あんたのあだ名と同じじゃないの」

「そうなんだ。ぼくのあだ名とおんなじだからって、ぼくにくれたんだよ」

「だれが」

「図書館の先生。ほら、丘の公園にあるだろ」

おねえさんのチャムちゃんは、まさかそのおくり主が、杉岡正子だとは思っていない。

「いやねえ、あんたのあだ名は、そんなところの先生にまで知られているの」

「そう。いっしょにいったやつが、いけないいんだ。ぼくがよせっていうのに、なんでムックリっていうあだ名がついたか、ばらしちゃったんだ」

ムックリくんはにこにことつづけた。

「でも、図書館の先生は、えらいのね、って、ほめてくれたよ。杉岡先生っていって、おねえちゃんみたいなわかい女の先生だけど」

「えーっ」と、チャムちゃんは目と口を大きくあけた。そんなふうにすると、むかしのおさな顔にもどるようだ。

「まさか、杉岡正子さんじゃないでしょうね」

「名前のほうは知らないよ」

ふしぎそうにしているムックリくんに向かって、チャムちゃんは矢つぎばやに質問をした。一重まぶたかどうか、背たけはどのくらいか、やせているか太っているか、鼻の形は、口は、あごは、おでこは——。

男の子のムックリくんが、その質問に答えられたのはいくつもなかった。それでもチャムちゃんにはじゅうぶんだったらしい。

「やっぱり正子さんよ！」と、うれしそうにいって、あとはひとりごとみたいになった。

「そう、その人はおねえちゃんの高校の友だちよ。図書館につとめたんだけど、さすがねえ。半年もたたないうちに、そんなだいじな仕事をしているなんて。でも、あたりまえかもしれないわ。そこらにいる女の子とはちがう人なんだから。おだやかで静かで、それでいてしんが強くて……」

ちょっとことばがとぎれて、にっこりした。

「たとえば、あの人たちに出会っても、あまりおどろかないような、そんな人よ」

「うん、ぼくもそうだと思う。とってもヘンな人だ」

ムックリくんは力をこめてうなずいた。二度めに出会ったときのことを、思いだしたからだった。

「このムックリをもらったとき、先生はあの本を読んだっていってた」

そこまでいって、にやっとした。

「あの先生なら、あの人たちを見ても平気だな、きっと」

姉弟が「あの人たち」といっているのは、もちろんコロボックルのことである。しかし、このふたりがコロボックルを話題にするのはめずらしかった。せいたかさん一家がかかえているたいへんなひみつについては、たとえ家族のあいだでも、むやみに口にしないというくせが身についている。

そのあと、チャムちゃんとムックリくんは、杉岡正子からもらった楽器のムックリの話にうつっていった。

ところが、このときの姉弟の話をきいていたコロボックルがいた。スギノヒメ＝ツクシのツクシンボだった。ひさしぶりにオハナのところへ遊びにきていて、きくともなくきいた。ツクシンボにも「あの人たち」というのが、コロボックルのことだとわかって、ふと思った。

（しばらく図書館にはいっていないけど、ちょっとのぞいてみようかな。そのわかい女の先生がどんな人なのか、見てみたいし……）

6

連絡係でないツクシンボは、オハナに紹介されて一度だけチャムちゃんの前にでていったことがある。しかし、ひとりではけっしてでていかない。これはコロボックル流の礼儀である。たとえ味方の人間であろうとも、やたらに姿を見せて、相手にわず

らわしい思いをさせてはならないし、また、連絡係にことわらず、かってに味方のまわりをうろうろしてもいけない。ツクシンボも、オハナがいないときは、この部屋へはいることはなかった。

オハナの部屋——かくれ家——は、つくりつけのかざりだなのすみにおかれた、宝石箱だった。全体が山小屋の形をしていて、窓やとびらが、こまかくほりこんであった。赤い屋根がふたで、かぎがかかるようになっている。

チャムちゃんは、これに、生きている宝石をしまうことにした。つまり、自分の連絡係になったコロボックル、サクラノヒメ＝オハナに住んでもらうことにし、たなの上に接着剤でくっつけてしまった。オハナもよろこんで、コロボックルの棟梁、ヒノキノヒコ＝トギヤをつれてきて、きれいなかくれ家につくりかえてもらった。いまでは、窓もとびらもあけられるようになり、箱のうしろからはかべの中へぬけられるようになっている。オハナやツクシンボたちの出入口である。

その宝石箱のかくれ家の中で、ツクシンボは静かにこしをおろしていた。チャムちゃんがいるときには、なるべくおしゃべりもひかえめにしている。オハナはおくのほうで、ひさしぶりのお客のために、お茶のしたくをしていた。食べ物も飲み物も、詰め所へいけば用意してある。

ツクシンボは、ぼんやり考えごとをしていた。図書館には、オハナに教えられて地図を調べにいったあとも、何度かいっている。読んでみたい本が山ほどもあるのに、自分ではどうにもならないのがじれったかった。たとえば『北海道一周の旅』『四国めぐり』『世界をまわろう』『旅のガイドブック』『アメリカ案内』『ヨーロッパの旅』など――。

おりよく、興味をひく本を読んでいる人間に会えば、なんとかのぞいてみることもできた。しかし、それだって静かな明るい閲覧室の中だから、かなりあぶない仕事である。とにかく、どんな本が新しくでているかをさぐるには、本屋よりも便利だったので、たまには足をはこんだ。

このツクシンボも、いまでは一本立ちの通信員になっていた。すっかりむすめらしくなっていて、はじめてここにあらわれたときの、まるで子どもっぽいツクシンボとはちがっている。ただ、いまでも子どものときからの夢は、たいせつにもちつづけていた。

図書館には、せいぜい半年に一度くらいしかいかなかったが、学校にはよくでかけていて、いろいろなことを学んだ。すでにこの近くは歩きまわっているらしく、たとえば飛行場などへもいってみたようだ。

「さあ、お茶をどうぞ」

オハナが花のかおりのするお茶をもってきてくれた。ここには火を使う設備はないが、詰め所には小さな電熱こんろがあって、料理もできるしお湯もわかせる。おふろもシャワーもある。

チャムちゃんたちは、そのとき、なんとかしてムックリ――楽器のほう――を鳴らそうと苦心していた。おねえさんのチャムちゃんが、説明図を見ながらためしてみたが、どうやってもいい音はでなかった。ムックリくんがとりもどして、口もとへもっていくと、糸をぴんとひいた。と、ふいにビィーンとふしぎな音がひびいた。

びっくりしたように目をまるくしてさけんだが、そのままうれしそうに部屋から走ってでていった。おねえさんのチャムちゃんは、そのうしろすがたをあきれたようにながめて、また本にもどった。つくつくぼうしが、すぐ近くでしきりに鳴いた。このあたりは町はずれの高台で、せみのとまる木立も多い。

かざりだなのすみの、山小屋の形をした宝石箱の中へも、すずしい風がとおって、いっとき静かになった。すると、オハナがふっと口をひらいた。

「あなたは、いつかこの町のどこかに、自分のかくれ家をつくることになりそうね」

「え、どうして？」

ツクシンボが、おどろいてききかえしたのに、オハナはにっこりしただけだった。このふたりはすっかりなかよしになっていたのだが、ツクシンボはまだ自分の夢をうちあけていない。ただ意地っぱりというだけでなく、他人に話すと、シャボン玉のようにこわれてしまいそうで、だまっていたのである。

オハナのほうは、およそのことを察しているようだった。それでもあらたまってたずねることもなく、べつに気にしているようすもなかった。オハナは他人の心の中がいくらか読みとれるとみえて、なにげなく口にすることが、ときどきツクシンボを、ぎょっとさせることがあった。

しかし、いまはちがう。これまでにツクシンボは、かくれ家がほしいなんて思ったことはなかったし、いまだってそんなことは考えてもいなかった。毎日いそがしくとびまわっているのが、楽しくてしようがなかった。

(もっとずっと年をとって、わたしがおばあちゃんになったら、気にいったところにかくれ家をつくって、のんびりくらすのもわるくないけど)

ツクシンボはそう思って、ちょっぴり肩をすくめた。ところが、オハナはかまわずにいった。

「さっき詰め所に、ヒノキノヒコ＝トギヤさんがみえていたわ。あなたはあの大工の棟梁に会ったことある？」

「いいえ」

面くらってツクシンボはいった。

「まだ、お話ししたことはないわ。でも、どういう方かはよく知っています。それに、たしか息子さんのツムジカゼぼうやは、あのふしぎな目をした男の子と、トモダチになっていると思うわ」

「そのとおり」と、オハナはまじめな顔でうなずいた。

「あとで棟梁にひきあわせるわね。ほんとにちょうどよかった」

どうやら、ツクシンボが、自分のかくれ家をつくることになるから、という意味のようだった。

7

その日の午後、ツクシンボはオハナのすすめにしたがって、すなおにトギヤの棟梁と会った。詰め所の明るい部屋だった。

ほとんどのコロボックルは、手先が器用で、男ならだれでも大工仕事ぐらいはこなすし、いい道具もそろえている。しかし、この棟梁にかなうものはひとりもいないといわれている。そのトギヤの腕を見こんだ世話役は、コロボックルのかくれ家については、トギヤにすべてをまかせた。

だから、コロボックルが小山からでて、外にかくれ家をつくるときは、みんなトギヤに相談する。トギヤは下見をしたうえで、こまかい注意をしてくれるし、たのめばつくってもくれる。それだけでなく、コロボックルのかくれ家を見まわる仕事もひきうけていて、半年に一度は見にきてくれる。

ここの詰め所も、トギヤが中心になってつくられたので、いつもの見まわりにきていたところだった。しかし、トギヤはひとりだけでなく、もうひとりわかいコロボックルの大工をつれてきていた。

「こいつも、たしかに大工なんだが、腕のほうはたいしたことない。そのかわり、ほれ」

棟梁はかざりけのないいいかたでつづけた。

「どんな家にするのか考えるのが、めっぽううまい。人間たちのいう設計屋だな。ところが、ひまさえあれば絵ばかりかいているっていう、へんな大工だよ」

わらいながらあごでしめしたのは、しなやかな体つきの、日にやけた若者だった。

オハナとツクシンボを見て、こくんと一つ頭をさげた。

「ひさしぶりですね、オハナ。ぼくはクスノヒコです。よび名は、その、なぜかいまはエカキといいます」

「あら、学校にいたときは、たしかダイクってよばれていたじゃないの」

オハナは、おもしろそうににこにこしながらいった。ふたりは同じころコロボックルの学校にかよっていたことがあるとみえる。しかし、オハナは三年かかるところを一年半ですましてしまったので、ほんの短いあいだしか顔をあわせていないはずだ。それでも、オハナが自分をおぼえていてくれたのを知って、大工のエカキもにっこりした。

「そうなんだ。あのころから大工にあこがれていたからね。ところがようやく大工になってみると、ダイクっていうよび名は、どうもぐあいがわるいっていわれて、エカキにかえられてしまった」

「絵ばかりかいているからな」と、横で棟梁がいった。

「そういえば、あなたは前から絵がじょうずだったわ。きっといい絵をかくんでしょう」

「いやあ、絵はすきなだけでね、たいしたことはない」

クスノヒコ＝エカキは、つまらなそうにいった。ツクシンボは、大工でなかったときにダイクとよばれ、大工になったらエカキとよばれているというのが、みょうにおかしくて、わらいたくなるのをうつむいて必死にがまんした。

「ね、棟梁」と、オハナはかまわずにトギヤに向かっていった。

「この子はスギノヒメ＝ツクシ、別名ツクシンボで、あたしの友だち。こう見えても通信社の優秀な通信員よ。この子がかくれ家をつくるときには、よろしくね」

「ほう、おまえさんのかくれ家かね」

トギヤの棟梁は、びっくりしたようにいった。ツクシンボは、ようやくわらいをおさえて頭をさげた。

「よろしくお願いします」

「いいとも。いつでもいっておいで。それにしても、女の子ひとりのかくれ家ってのは、はじめてだな、なあオハナ。おまえさんはべつとしてだが」

「そうですね」

オハナはうなずいていった。

「ちょっと前に、なかよしグループが共同のかくれ家をつくったことがありましたね。女の子ばかりで。でも、あれは小山のすぐ近くで、半分は遊びみたいなものだったから」

「しかし、きみ」と、いきなり大工のエカキくんが、ツクシンボに向かっていった。

「あなたのようなわかいむすめが、ひとりでかくれ家をつくるなんて、どういうことです？」

「どういうことって、それがその……」

さすがのツクシンボも、返事につまってオハナを見た。どういうことなのか、自分でもわからないのだから、どうしようもない。オハナがなにもいってくれないので、しかたなくこんなふうに答えた。

「あの、それが、いますぐっていうことではないんです」

「そうですか」

エカキはうなずいて、すこし口ごもりながらつづけた。

「とにかく、ぼくは女子のかくれ家には、あまり賛成できないんだが、どうしても作るっていうんだったら、ぜひともぼくに相談してほしいね。なんとか安全第一の作りかたを考えてみる」

「ありがとう」

ツクシンボはおとなしくいった。そして、このわかい大工のエカキは、年に似あわずがんこ者らしいな、と思った。こんなコロボックルに相談したら、けんかになりそうだと、意地っぱりのツクシンボはひそかに考えて、またうつむいてしまった。

トギヤの棟梁と大工のエカキは、まもなく小山へ帰っていった。三時になるところだったが、ツクシンボもオハナにいった。

「わたしもちょっとでかけてきます。おそくなっても、ここの詰め所にもどってくるので、心配しないでね」

そして、きらめくような明るい町へとびだしていった。残り少ない夏とはいえ、まだまだ日中は暑かった。

8

そのまま、ツクシンボは図書館へ向かった。いつかムックリくんもいっていたが、せいたかさんの家から図書館まではかなり遠い。ムックリくんは近道やうら通りをとおって、歩いていったようだが、子どもの足だと三十分以上もかかるだろう。

もちろん、コロボックルの足なら、あっというまにつくが、ツクシンボはわざわざバスを使った。らくをしたいためでなく、バスになれるためだった。いくら暑い日でも、コロボックルたちは力いっぱい走ってもほとんどあせをかかない。暑さにはなぜかたいへん強いのである。それに、走っているほうが風も起こってすずしいし、人目にもつきにくい。

それなのに、ゆっくり時間をかけて、ツクシンボは見なれた古い建物の図書館へたどりついた。前にきたときとかわっているのは、玄関正面のかべにはってあるポスターぐらいなものだった。

（ペンキでもぬったら、すこしはきれいになるでしょうに）

そんなことを考え考え、ろうかのすみをすばやくわたっていった。児童室がどこにあるのか、ツクシンボはよくわかっていた。せまいうら階段をばったがはねるように――といっても速さは倍以上も速いが――のぼって二階へあがり、おくのドアのあいている部屋まで、まっすぐに進んだ。

そこからは子どもの声が、かすかにきこえていた。ツクシンボはドアの前まできて立ちどまり、そっと用心ぶかく中をのぞきこんでみた。

はじめは、どこにその先生がいるのか、さっぱりわからなかった。チャムちゃんとムックリくんの話から、どんな人だかおよその見当はつけていたのだが。高いところからさがしてみようと考え、近くの本だなへかけのぼってやっと見つけた。

窓ぎわのつくえの前で、三、四人かたまっている中にいた。背たけが子どもとあまりちがわないので、見わけにくかったのだ。ツクシンボは、そのまたなの上をつたって近づき、チャムちゃんのなかよしだという杉岡先生を、じっとながめていた。

子どもたちは、なにかというと「杉岡先生」をよぶ。しかし、この先生はほとんどおしゃべりもしないいし、めったにわらいもしない。返事もしたりしなかったりで、ただ目を向けるだけとか、だまってうなずくだけですましてしまうことが多かった。それでもこのわかすぎる先生には、なにかしら子どもたちを安心させる力があるらしく、子どもたちは満足したようにはなれていく。

コロボックルと人間という、大きなちがいはあるものの、ツクシンボと同じ年ごろの杉岡正子は、ツクシンボの目から見ても、たしかにヘンな子だった。といってもこれはわるくちではない。ツクシンボはすっかり感心してそう思ったのだ。ムックリくんのいうとおり、この子ならいきなりコロボックルを見たって、それほどはおどろかないだろうと思われた。

（ほんとに、ためしてみようかしら）

そのときはじめて、ツクシンボはそう思った。でも、まだ本気ではなかった。よほどのことがないかぎり、ためすためだけにすがたを見せたりはしない。

やがて、ひとり、ふたりと子どもたちは杉岡先生にあいさつして帰っていき、室内はしんとなった。そろそろ閉館時間が近づいていたのだろう。見たところ、正子はあせもかいていないようで、そのままあちらこちらを手まめにかたづけてまわった。本だなにはいらない本を調べて集めると、両うでにかかえてとなりの書庫へはいっていった。

この書庫も、ツクシンボはよく知っていた。すっかり古びたドアは、いくらぴったりしめたつもりでも、ゆかとのあいだにすこしすきまがあり、コロボックルならなんとかくぐりぬけることができた。

書庫のかべには、前から世界地図のかけ図がかかっていた。めったに人はこないし、ゆっくりながめるにはもってこいだった。残念なことに地図はかなり古いもので、ひととおり調べたあとは、もう用がなくなった。本だなにつめこまれている本は、どうせひきだすこともできない。

(ほんとにくやしいんだから！)

そのいらだたしさが、ふいによみがえってきて、おもわずツクシンボがかわいいこぶしをにぎったとき、自分でもびっくりするようなことを思いついた。

(そうだ、いっそのこと、この杉岡先生をわたしのトモダチにしたらどうかしら。そうすれば、わたしも読みたい本がすきなだけ読めることになるじゃないの！)

いちど思いついてみると、なぜこんなすばらしいことに、いままで気づかなかったのだろうと、むねがわくわくした。そして、夕方近くに、こんなところまでやってきてよかったと思った。

見かけによらない意地っぱりのツクシンボは、これまで人間のトモダチのことなど、考えたこともなかった。コロボックルの味方になっているせいたかさん一家にも、また、あれだけ尊敬している先輩のオハナにさえも、自分の夢をうちあけないツクシンボが、人間に助けてもらおうなんて、考えられなかったのだ。

でも、心のおくそこでは、そんな願いを持っていたのかもしれない。というのは、正子のうわさをきいたとき、たいした理由もないのに、どんな人だかちょっと会いにいってみよう、なんて思いついたではないか。たぶん、ツクシンボの心のどこかでは、そのとき、正子を自分のトモダチにしようという思いつきが、こっそりと生まれていたのだろうと思う。

そのことには本人も気がつかないまま、ひきよせられるようにして図書館へやってきた。そして、正子をじっとながめているうちに、この思いつきはツクシンボの心の底をはなれ、水のあわのようにうかびあがってきたのである。ツクシンボが、自分で自分の思いつきにおどろいたのも、むりはなかった。

とにかく、ツクシンボは、重大な決心をして、まっすぐ書庫へはいっていった。

9

杉岡正子とスギノヒメ＝ツクシとのあいだに起きた、一つの小さなできごとは、こうしてうまれた。

このできごとについて、正子がどう思い、どんなことをしたかについては、前にもう書いておいた。ではツクシンボのほうはどうだったかというと、じつはすっかりふるえあがっていた。自分がたいへんな軽はずみをしてしまったのではないかと、しばらくは顔が青ざめるほど心配になったのだ。

ふつう、コロボックルが人の前に姿を見せるときは、できるだけ時間をかけて相手の人間を調べあげる。なんといっても、コロボックルのトモダチになれる人間は、ごくごくかぎられている。こんな奇跡を受けいれられる人間なんて、むかしもいまもめったにいないのである。

もし、まちがった判断のもとに姿を見せれば、その人の心をきずつけることにもなりかねない。気が強いとか、明るい性格だとか、大胆だとかいっても、それだけでは安心できない。こんな人がかえってひとりになるとくよくよしたりするからだ。

それなのに、ツクシンボは出会ってわずか一時間たらず、トモダチになろうと決心してからは一分もたたないうちに、とびだしていってしまった。だからツクシンボは心配のあまり、正子のそばをはなれず、家までずっとついていった。

せいたかさんの家とはちがって、下町の小さな二階屋に、おかあさんとにいさんと三人ぐらしだった。正子は夕食のしたくもてつだっていたようだし、のんびり世間話をしながら食事をすませた。そのあとはおふろにもはいったし、おかあさんにつきあってテレビも見ていた。

(なんだかよくわからないけれど、せっかくわたしがすがたを見せたのに、もうわすれてしまったのかしら)

ツクシンボはそんなことを考えて、こんどはそっちのほうが心配になった。自分がこれほど気づかっているのに、相手がてんで気にしていないとすれば、これもやはり、コロボックルのトモダチとしては不向きということにならないだろうか。

そのまま夜がふけるまで、正子の家にツクシンボはかくれていた。まもなく、正子は二階の自分の部屋——それはチャムちゃんの部屋にくらべるとつましいたたみの部屋――へはいって、文机に向かうと日記帳をひろげた。そのまましばらく考えたあと、正子は手紙の下書きのような文を書いたのだが、この日記を、ツクシンボはうしろからのぞきこんで読んだ。

人間の考えかたからすれば、他人の日記をぬすみ読むなんて、あまりほめられたことではない。しかし、コロボックルの立場ではまちがっていなかった。人間の考えていることをさぐるのはたいせつな仕事で、どんなことをしてもゆるされる。だから、もしコロボックルが本気でだれかを調べはじめたら、まずなにもかくしてはおけないだろう。人間とコロボックルをいっしょにしてはいけない。

ところで、ツクシンボは、正子の日記を読んで、ようやくむねをなでおろした。正子はあのコロボックル物語の作者にあてて、いくつかの質問をしたあと、その日に見た小人のことを、ちょっぴり書いていた。

(とにかく、なにか考えていることはたしかね)

そう思うと心がはずんだ。生きたコロボックルを見ていながら、とりみだしもせず、うろたえもせず、それでいて、さけているわけでもない。

ツクシンボは、正子にあててなにかひとこと、あいさつのことばを書きのこしていこうと思った。通信員のひとりとして、筆記具はいつも身につけている。〇・三ミリ

のシャープペンシルの短いしんで、手がよごれないように紙がまいてある。

まもなく、正子は灯をけして横になった。それでも窓のカーテンのすきまから、うすあかりがはいってきていた。正子がすっかりねむってしまうのを待つあいだ、ツクシンボはどこにどんなことを書いたらいいか、ゆっくり考えた。かならず正子の目にとまるところというと、日記帳がいい。さいわい、正子は日記帳をとじてそのまますくえの上においてあった。

(でも、この日記帳を、わたしひとりでめくるのは、どうみても大仕事ね。中身はともかく、厚い表紙を起こすのがたいへんでしょうね)

そう思いながら、夜目のきくツクシンボは足音をたてずに、文机の上へとびあがり、すぐ近くまでいった。正子がねついたらしく静かな寝息がきこえていた。

うすあかりにすかして、ツクシンボは日記帳のわきに立ち、ページのつみかさなった小口に目をよせてみると、しおりの赤いひもがはみだしていて、まだ書かれていない下のほうのページと、もう書いてしまった上のほうのページの、さかいめがわかった。八月の末だから、下のほうがいくらか少なくなっている。

(そうだ)と、ツクシンボは思いついた。

(この小口のところに書けばいいんだわ。ここならきっと目にとまるはずよ)

そして、ほんのちょっと考えただけで、こんなことばを日記帳の厚みいっぱいを使って書いた。

『わたしはコロボックル』

細い細いシャープペンシルのしんだから、針金のような線しか書けない。それでもはっきり読めた。できばえに満足して、ツクシンボは正子の家をでた。外はきれいな月夜だった。

夜中に近い町の道を、せいたかさんの家に向かって走りながら、あの杉岡正子の部屋のどこかに、はやく自分のかくれ家をつくらなくちゃ、と考えたとき、ツクシンボはおもわず立ちどまってしまった。オハナは、人の心を読むだけでなく、先のこともわかるらしいと気がついたからだった。

第三章　みんなのトモダチ

1

こうして、杉岡正子はツクシンボと、ツクシンボは杉岡正子と出会った。このふたりを結びつけたのは、どうやらオハナだったようだが、チャムちゃんとムックリくんの姉弟も、かげではおおいに力になった。といっても、本人たちはまだそのことに気づいていない。

正子とツクシンボのふたりは、考えてみるとたいへんに幸運な組み合わせで、のちに大きなみのりをもたらす。しかし、それはもっとあとのことだ。いまはまだ出会ったばかりで、ふたりがおちつくまでにはもうしばらくかかるだろう。そのあいだに、おくれてきた少年ムックリくんについて、すこしくわしく述べておこうと思う。

この子が、かわった育てられかたをしたことは、すでに書いておいた。もの心ついたときから、ずっとコロボックルの姿を見ていて、ムックリくんにとってはあたりまえのことになっている。小学校にはいる前、まだせいたかさん一家が、コロボックルの国がある小山に住んでいたころは、ほんとうにたくさんのコロボックルたちと会っていた。

こっちの町へ引っ越してきてからは、オハナやネコ、テマリの夫妻、それにクマンバチ隊の若者に会うだけになった。それでも、たまに小山へ遊びにいけば、顔なじみのコロボックルたちとゆっくり会うことができた。ところが、こんなあたりまえのことを、他人におしゃべりしてはいけないという。

ごくおさないころはともかく、小学校へかようようになってからは、世の中ほとんどすべての人が、小人なんかいるはずがないと思っているのに、すこしずつ気づき、さすがのムックリくんもとまどうことがあった。それをうまくのりこえられたのは、ムックリくんが親ゆずりの明るいすなおさのかげに、強情な負けん気をひめていたからだろうと思う。

たとえば、「ムックリ」というあだ名のつくきっかけとなった、あの大げんかにしても、もともとは小人についての言い争いが原因だった。学校の昼休み、男の子ばかりで運動場のすみに集まっていたとき、だれかが「小人がいたらおもしろいのになあ」といった。するともうひとりが「小人なんかいるわけないよ」と答えた。それだけであっさり終わりになるはずだったが、ついムックリくんが口をはさんだ。

「だけど、どうしていないってわかるんだい」

ふっとそんなことばがでてしまった。とたんにまわりから声があがった。

「いないにきまってるじゃないか」

「だから、どうしてきまってるんだ」

もう一度ムックリくんがききかえしたために、そこにいたもの全員からばかにされた。「もし小人がいると思っているなら、いるっていう証拠を見せてみろ」と、つめよられた。

こんなときは、ただだまってしまうか、にげるか、できればふざけてごまかしてしまうのがいちばんいいと思うのだが、ムックリくんはちがった。「それなら小人がいないっていう証拠を見せてみろ」ときりかえした。

これで、たちまち十数人の男子を向こうにまわしてけんかになった。はじめは口げんかで、やがてだれかがムックリくんをつきとばした。ぶつかった子がおこって、またムックリくんをつきかえした。やむなく、ムックリくんは自分からも体をぶつけていったが、なにしろ相手は多い。何度もつきとばされ、つきころばされて、くたくたになってしまった。それでもムックリくんは負けん気をふるい起こして、最後まで何度でも立ちあがった。

　このときのけんかは、終わりかたもかわっていた。ひとことも口をきかず、といってなきだしもせず、どろだらけになりながら、歯をくいしばって立ってくるのにあきれて、手をだすものがいなくなった。

「もうよそう。こいつ、いくらやっつけてもだめだ」

　とうとう、だれかがそういって、ムックリくんの服のほこりをはたいてやった。ほっとしたように、がやがやいいながらみんながよってきて、いっしょにほこりをはたいた。

「おまえ、ほんとにばかだなあ。こんなにおおぜいを相手にして、勝てるわけないじゃないか」

「そうだよ、ばかだよ」

　口々にばかだばかだといいながらも、このときはもう、だれもばかにしてはいなかった。

「いくらたおされても、むっくり起きてくるんだものな、まいったよ」

　そうだそうだとみんながいって、ムックリというあだ名がのこり、けんかの原因になった小人の話は、どこかへいってしまったのだった。

　しかし、ムックリくんだけはわすれていなかった。自分は、小人がいるといったわけではない。そんなことはまちがっても口走らないように、きびしくしつけられている。ただ、じょうだんみたいにして、どうして小人がいないとわかるのか、ききかえしただけだ。それでも頭からばかにされてしまった。

もし、ムックリくんが気の弱い子だったら、ばかにされたままなき寝入りになったかもしれない。そして、コロボックルを知っていることが、ムックリくんにとって、いまよりもずっと大きな重荷になったにちがいない。

コロボックルについては、軽々しく口にしないほうがいいということも、ムックリくんは、身にしみてわかった。だからこそ、ムックリという自分のあだ名を、とてもたいせつに思っている。まだ四年生の少年のことだから、それ以上のことは自分でもよくわからないのだが、コロボックルについての、いろいろないましめが、このあだ名にふくまれていると、おぼろげながら気づいていたのである。

2

二学期になったばかりの月曜日、まだ給食がなく、午前中だけで学校からもどってきたムックリくんは、自分の部屋にとじこもって、のこしてしまった夏休みの宿題にとりくんでいた。どう考えたって、楽しいはずはないと思うのだが、見たところは、まるで楽しいゲームでもしているようだった。

といっても、ムックリくんが勉強ずきの少年というわけではない。学習塾などにはいっさいいっていないし、宿題も大きらいだ。だからこそムックリくんは、勉強しながらも、ときどき大声で歌をうたったり、えんぴつをころがしてみたり、足でひょうしをとってみたりする。

「なんだか知らないけれど、あなたの勉強ぶりは、遊んでいるのとそっくりね」

おかあさんのママ先生は、そういってわらうが、とくに注意したりはしなかった。

ムックリくんが、こうして勉強しているうちに、ふっと静かになるときがある。われ知らず勉強にひきこまれたためで、本人はほんの五分くらいと思っているが、じつは二十分も三十分もたっている。そして、この時間にたいていの宿題は目鼻がつく。

いつものように、ムックリくんは遊んでいるとしか見えなかった。鼻歌をうたい、口をとがらせて、鼻と上くちびるのあいだにえんぴつをはさんで首をふっていると、ふいに目の前へコロボックルが姿を見せた。オハナだった。

「やあ、こんちは」

ムックリくんは、元気な声をあげた。えんぴつが顔から落ちてつくえの上にころがり、オハナが身軽くよけた。ねえさんの連絡係をつとめているオハナのことは、ムックリくんも大すきだった。前から「もうひとりのねえさん」とよんでしたっている。

「ぼくになにか用なの」

「あのね、ちょっと教えてあげたいことがあるのよ。とってもいい話」

オハナのほうも、ムックリくんのことは自分の弟のようにかわいがっている。それでこんなふうにねえさんのような口ぶりになる。

「ほんとうは、まだ話さないほうがいいかもしれないんだけどね。あなたはだれよりも早く知る権利があると思うの」

「ケンリって、どんな権利のこと？」

ふふっと、オハナはわらった。

「図書館の杉岡正子先生のことよ。あの人、もうすぐコロボックルのトモダチになるわ」

「え、それ、どういうこと？」

ムックリくんは目をまるくした。この少年は、まだツクシンボとは会ったことがないし、そのツクシンボが、正子を自分のトモダチにえらんだことなど、知るわけもない。まして、自分が知らずにそのおてつだいをしたなんて、思いもしなかった。

「つい先《せん》だって、杉岡先生をトモダチにきめたコロボックルがいるの。スギノヒメ＝ツクシっていう子で、わたしのなかよしよ」

「そうかあ、それはすごいや」

右手をこぶしににぎって、肩のところへもってくると、うれしそうにいった。

「ぼく、あの先生なら、きっとコロボックルのいいトモダチになるって、そう思っていたんだ」

「そうよね。わたしも大賛成」

にっこりわらってうなずいたオハナは、きゅうにまじめな顔になった。

「でもね、もし杉岡先生に会っても、まだなにもいわないようにね。いまあなたのおねえさんにも、そういってたのんできたところなの。もうすこし杉岡先生の気持ちがおちつくまでは、そっとしておいてあげたいから」

「うん、うん、わかった」

ムックリくんもまじめに答えた。

「ぼく、しばらくは図書館にいかないよ」

「そう、ありがとう」

オハナはそういうと、うしろをふり向いて手まねきをした。ムックリくんのつくえの上は、おせじにもきれいだとはいえない。まんがの本やつくりかけのプラモデルや、色えんぴつや三角定規や乾電池などが、ざっと肩よせてあった。その中から、ふっとわきでるように、ひとりのコロボックルがあらわれてきて、オハナの横にならんだ。オハナよりすこし背の高い、目つきの強い女のコロボックルだった。

「ほら、このコロボックルがスギノヒメ＝ツクシ、ツクシンボってよばれることもあるわ。おぼえておいてね」

「はい」

カタンと音をさせて、ムックリくんはわざわざいすから立ちあがり、小さな小さな人に向かってぺこりと頭をさげた。つくえの上のツクシンボも、にこにこしながらていねいにおじぎをかえした。

「よろしく。わたし、このサクラノヒメ＝オハナさんの妹分なの。ほんとうの妹でないのが残念だけど。あなたもわたしのこと、ツクシンボってよんでね」

「うん、そうする」

ムックリくんがいすにもどるのを待って、ふたりはさっと消えていった。コロボックルにはなれているムックリくんだが、このときはおもわずきえていったほうを、こしをうかしてのぞきこんだ。もちろん、もうどこにもいなかった。

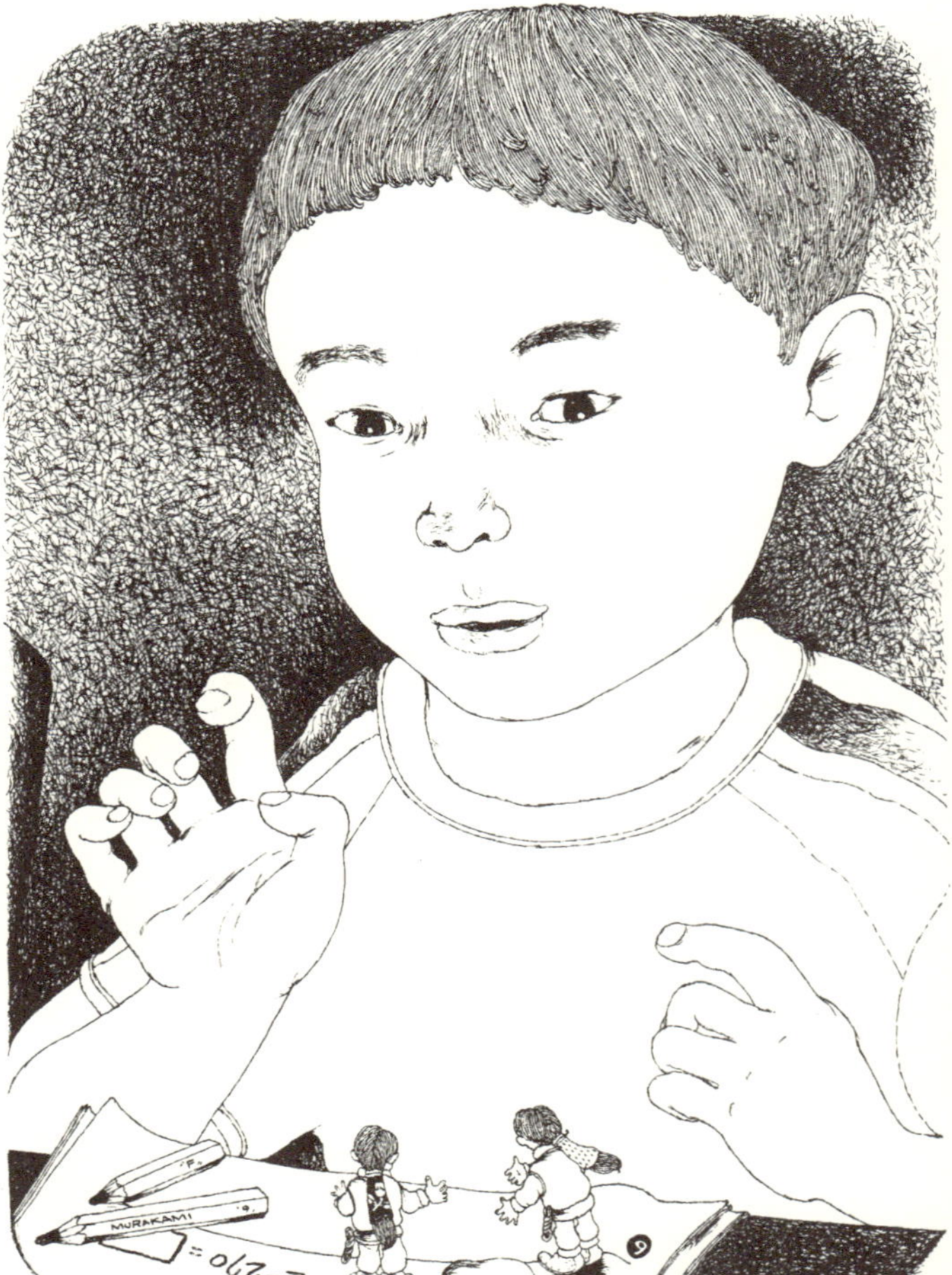
MURAKAMI

宿題なんか、する気がなくなったムックリくんは、パタンとノートをとじると、さっと部屋からかけだしていった。

「おかあさあん、ぼく、ちょっとでてくるね」

そんな大きな声がした。おかあさんの声はきこえなかったが、たぶん、「どこへいくの」とたずねられたのだろう。「ホビー＝ランドまで」という返事だけがきこえた。

3

家をとびだしていったムックリくんは、図書館とは反対のほうへ向かって、まもなく商店のならぶにぎやかな駅前の町までやってきた。

その町の文房具屋のわきに、店の二階へのぼる階段の入り口があいている。このにぼり口に、鉄道で使う信号機そっくりのかんばんが立ててあって、赤と青の信号灯が、ついたりきえたりしていた。そのかんばんに『ホビー＝ランド』と書いてある。

これが『趣味の国』という意味だというのは、ムックリくんもよく知っていた。

つまり、ここの二階は模型店なのである。プラモデルや模型飛行機やラジコンカーなどもおいてあるが、中心になっているのは、かんばんの姿からもわかるように、鉄道模型だった。

コンコンコンと足音をひびかせて、ムックリくんは階段をかけあがり、ガラスのドアをおして中へはいった。おとなの客が三人いた。冷房はしているようだったが、あまりきいていなかった。ガラスケースの向こうに、がっしりしたわかい男がいて、お客の相手をしながら、なにかこまかい機械を見せていた。

ムックリくんがはいってくるのを、ちらっと見ると、にっこりして「やあ」といった。ムックリくんも、同じように「やあ」と答えたが、それだけであとはなにもいわず、若者に背を向けると、かがみこんでガラスケースをのぞきこんだ。お客さんと話をしている若者の、じゃまをしたくなかったのだろう。

しばらくすると客は帰っていった。「ありがとうございました」と、若者が歯ぎれよく客を送りだすのを待って、ムックリくんは近よった。

「ね、Nゲージのデゴイチがはいっているね」

「うん、やっと入荷した。Nゲージのデゴイチははじめてだから、なかなかまわってこないんだ」

ふたりはそんなことを話しあった。どんな意味なのかちょっと説明しておくと、『Nゲージ』とは、九ミリ幅の線路を使う百五十分の一の小さな鉄道模型のことで、『デゴイチ』は、D51形蒸気機関車の愛称である。その形の新しい模型が入荷しているのを、ムックリくんは目ざとく見つけ、若者がちょっぴり解説したところだ。

図書館にいったときのムックリくんは、しきりに鉄道の本をさがしていたが、じつは鉄道模型のファンでもあった。いまはNゲージ用の模型を一組しかもっていない。いくら小さくても、精密な模型はねだんも高く、おいそれと集めるわけにはいかない。だからムックリくんは、しょっちゅうここへきてながめて楽しむのである。

「こんどまた、おれの家へ遊びにこいや。いまもう一つ、機関車をつくっているんだ」

若者はそういった。まるで店の主人のような顔をしているが、ほんとうをいうとこの人はアルバイトの大学生だった。機械のことを勉強している工学部の四年生だった。ムックリくんがため息をついていった。

「いいなあ、自分の家に自分ひとりの工場があって、自分で機関車なんかつくれるんだもの。うらやましいなあ」

「工場っていうのは大げさだな。あれは工作室っていうんだ」

大学生のアルバイト店員は、ムックリくんの頭をきゅっとおさえつけていった。

「とにかく一度こい。もうひとりでもこられるだろ。おねえさんといっしょでなくても」

「うん」と答えて、ムックリくんは小声になった。

「あの人も、たまにはくるの？」

「くるさ」

大学生も小声になった。

「あの人も模型はすきだからな。このごろはわかいのを二、三人つれてくるぜ」

「ほんと。それならぼくも、いってみなくちゃ」

大学生は大きくうなずいた。

「よし。おまえがくるときには、あの人もよんでおこう」

そのとき、店のドアがあいて、客がどやどやとはいってきた。ムックリくんと同じような男の子たちで、プラモデルを買いにきたらしい。しかし、この子たちも、まずガラスケースにぴったりくっついてはなれなかった。ムックリくんと大学生は、顔を見あわせてにやりとした。

「みんなおんなじさ」と、大学生はいって、ムックリくんの肩をたたいた。

「もうじき、ここのボスがもどってくるから、そうしたら店番をかわってもらって、いっしょに外へでよう。またアイスクリームでもおごってやるよ」

「ありがと」

そういったものの、ムックリくんは心配そうな顔になった。

「でも、イサオさんはアルバイトだろ。ぼくがくるたびに店をぬけだすみたいだけど、だいじょうぶかい」

「だいじょうぶかって、なにが」

「クビになっても知らないよ」

「あはは」

イサオさんとよばれた大学生のアルバイト店員はわらった。

「この店のボスは、おれの大学の先輩だって、この前もいっただろ。それにアルバイト料がべらぼうに安いんだ。おれをクビにしたら、まずあとがまは見つからないな」

4

ところで、このイサオ——功と書く——という大学生は、じつをいうと、この物語ではじめて顔を見せたのではない。前に『星からおちた小さな人』という本で大かつやくしている。このときの人間がわの主人公は、「おチャ公」とよばれている少年だったが、そのおチャ公こそ、ここにでてきたイサオの少年時代の姿である。

あの当時、まだ小学校六年生だったはずだから、いま大学四年生だとすると、まともなら十年たったかんじょうになる。しかし、大学にはいるとき一年足ぶみしたというので、十一年めということになる。

イサオが「おチャ公」なんてよばれていたことについては、本人がこんな説明をしている。おさないころ、舌がまわらずに自分のことを「いチャお」といっていた。それがいつかなまって「おチャお」になり、他人がこれをきいて「おチャちゃん」とか、もっと乱暴に「おチャ公」などとよぶようになったのだそうだ。

この、むかしのおチャ公、いまは大学生のイサオが、コロボックルの『トモダチ』第一号だったことを思いだしてほしい。あのとき、おチャ公をトモダチにしてくれたコロボックルは、クルミノヒコ＝ミツバチという、新型飛行機のテストパイロットだった。だからここでふたりが「あの人」といっているのは、そのミツバチのことだ。

しかし、なにしろ十一年もたっている。いまのイサオは、ミツバチひとりだけでなく、たくさんのコロボックルとトモダチになっている。つまり、コロボックルは、みんなのトモダチとしてイサオをみとめているのである。

したがって、イサオはコロボックルのひみつについても、およそのことは知っているし、『コロボックル物語』もみんな読んでいる。そして、この本を読むきっかけをつくってくれたのが、じつはチャムちゃん——むかしのおチャメさん——だった。

イサオはこの十一年間、コロボックルのトモダチだっただけでなく、チャムちゃんとも友だちだった。たがいに同じひみつにかかわっているということが、がき大将だったイサオと、年下のおとなしいチャムちゃんとを友だちにしていた。といっても、顔をあわせたときにあいさつするくらいのことで、コロボックルの話はふたりともさけていた。

イサオがコロボックルの本を読んだのは、大学にはいるすぐ前だった。その年の春さき、大きな町へ引っ越しすることになったチャムちゃんが、自分の考えでイサオの家まで、コロボックルの本をとどけた。そのころはまだ三さつしかでていなかったが。

「これ、わたしの父のよく知っている人が書いた本なの。読んでみてね」

チャムちゃんはそんなことをいいおいて帰った。イサオは、二度めの大学入学試験にどうやら合格して、ほっとしているときだった。チャムちゃんも、おそらくそのことを知ったうえのことだったのだろう。

物語など、めったに読まないイサオだったが、チャムちゃんに義理だてして、さっそく読んだ。そしてたちまちひきこまれた。なかでも、『星からおちた小さな人』は、自分のことが書かれていると気づいてぎょうてんした。

読みおえるとすぐ、イサオはチャムちゃんの引っ越し先をたずねてやってきた。むかしのおチャ公にもどったようなイサオは、照れながらこんなことをいった。

「おれ、この本を読みながら、安心したり心配になったりしたよ」

「どんなふうに？」

チャムちゃんがおもしろそうにたずねると、「うん」と、しばらく考えてから答えた。

「まず、ここに書かれているのは、うそでないということだ。事実をそっくりそのまま書いたのではないかもしれないが、だんじてうそではない。そうだろ」

相手がだまってうなずくのを見て、イサオはつづけた。

「たとえば、おれんとこの店の場所なんかは、いいかげんだ。こんなのはどうでもいいもんな。だけど、あのミツバチ事件といわれているできごとはほんものだ。おれにはそれがよくわかる。おまけに、おれの知らなかったことまで書かれているから、これはおれよりずっとくわしくひみつを知っている人が、どこかにいるっていうことだ」

イサオは、そこでことばをきって、ひとりでうなずいた。

「そう思ったら、おれ、みょうに安心したんだ」

「それで」と、チャムちゃんがにこにこしながら口をはさんだ。

「心配のほうはどんなこと？」

「そんなすごいひみつを、本なんかにしてもいいのかなって、心配になったんだけどね」

チャムちゃんはうれしそうにわらった。

「だいじょうぶよ。この三さつの本は、知られてもいいことしか書いてないの。小さな人たちを知らない人には、ただのお話」

「そうだろうな」と、イサオは目を細めた。

「まだまだ、このひみつにはおくがあるっていうことだな。だいいち、きみのおとうさんのことだって、どこのだれだかわからないし……」

　ふっとだまりこんで、イサオはチャムちゃんの目をのぞきこんだ。

「しかし、すくなくとも、きみを知っているおれがこの本を読めば、この小さな国がどこにあるのか、見当がつく。それでもこの本は書かれたし、おれにも読ませてくれた。ということは、もしかすると……おれは信用されているんだろうか」

「ミツバチさんに、じかにきいてみたら」

　チャムちゃんも、まじめに答えた。

「いまのおチャ――あの、イサオさんって、コロボックルにとっては、とてもたいせつな人だと思うの。この本を読んだことは、もうみんな知っているでしょうし、もうただのトモダチではないはずよ。だから、えんりょしないで、どんどんきいてみたらいいのよ」

「そうか、そうだな」

　そのときのイサオは、年下の中学生のチャムちゃんを、まるで目上の人を見るような目つきでながめたのだった。

5

もともと、コロボックル物語を人の世の中に送りだそうと考えたのは、コロボックルの前の世話役、長老のモチノヒコ老人だったという。もうずいぶん前のことになる。

せいたかさんは、しょうらい、コロボックルの味方にえらばれた人が読むようにと、この小さな国の小さな歴史を、ノートに書きとめていた。それを知ったヒコ老人は、この記録をもとにして本にまとめ、人の目にもふれさせるようにしたらどうか、と、新しい世話役のヒイラギノヒコにいったのだそうだ。

ヒイラギノヒコも、そのときはどういう意味かよくわからず、ぽかんとして老人の顔を見つめた。するとヒコ老人はあごひげをしごきながら、にっこりしてこういった。

「なに、知られたくないことは、あくまでもあかさない。しかし、教えてもいいことは、そっくりそのまま書く。ほんとうのことを、まるで作り話のように書くんじゃ」

「でも、なんで、わざわざそんなめんどうなことまでして、人間に教えてやるんですか」

ふしぎに思って世話役がききかえすと、ヒコ老人はこんな返事をしたという。

「かわいた畑に、水をまくようなものじゃな」

そして、こんな説明をしてくれたそうだ。

「せいたかさんは、しょうらいの味方に読ませようと、こうしてこまかい記録をとってくれている。ところが、人の世の中はえらい勢いでかわっていくようじゃ。このまいくと、せっかくのノートも読ませる人はあらわれず、たからの持ちぐされになるかもしれん」

「ということは、つまり」と、ヒイラギノヒコは考えながら口をはさんでみた。

「コロボックルの味方になれる人間なんて、ひとりもいなくなる、というわけですか」

「そうじゃ。みんな心のひからびた人間になりかねない。そうなったらわしらもおおいにこまるが、そんな人間たちも、あわれだとは思わんか」

「なるほど」

世話役は、ようやくうなずいた。

「そのことは、わしも考えないではなかったのですが——。せいたかさん一家がつづくかぎり安心だとしても、家は絶えることもありますしね。そうなったら、わしらはふたたび人間とは縁をきってくらすのでしょうか」

「そうなってほしくないと、わしは思うんじゃ。わしらにとっても、人間たちにとってもな。そこでじゃ」

ヒコ老人はつづけた。

「知らせていいところまでは、本にして人間にも知らせておく。そのためにはせいたかさんに、ひとはだぬいでもらうことになるな。だれか信用できる人をえらんでもらって、仕事をたのまなくてはなるまい。なあに、はじめはそんなりっぱなものでなくてもかまわんだろう」

とにかく、本にしておいて、人の世の中にばらまいておく。もちろん作り話として読まれるだろうが、それでいい。すくなくとも読んだ人の心には、かわいた畑にまいた水のように、この『小さな歴史物語』がしみこんでいくにちがいない。

「そのうるおいが、やがてはコロボックルの新しい味方も、育ててくれるような気が

するんじゃが、どうかな」

ヒコ老人は、それだけいって、あとはヒイラギノヒコにまかせたそうだ。長老とはいえ、そのときは相談役のひとりにすぎない。重大なことをきめるのは、いつも世話役の役目なのである。

このときも、世話役は何度かほかの相談役を集めて話しあったのち、せいたかさんのところへきて、この仕事——本をつくる——をたのんだ。

「いいとも」

話をきくとすぐ、本の作りかたなどなにも知らなかったせいたかさんは、あっさりとひきうけた。じつはこういう仕事にぴったりの友だちがひとりいた。赤んぼうのころからといっていいおさななじみで、たがいに気をゆるしたつきあいがつづいている。兄弟以上の仲といってよかった。

「いいのがいるんで、それにまかせたいと思う。これは信頼できるやつでね。たとえひみつをさらけだしたとしても、だまってろ、とひとこというだけでいい。といったって、よけいなことはいわないでおくが」

「心配はしていない」と、ヒイラギノヒコはそのとき、まじめな顔でいった。

「せいたかさんが、だいじょうぶだといえばだいじょうぶさ。たぶん、そのせいたかさんのおさななじみっていう人のことは、わしらもよく知っていると思うよ」

「えっ」と、せいたかさんは、まだ味方になってそれほどたってないなかったころだから、おどろいてききかえした。

「なぜ知っているんだい」

「だって、わしらは長いことせいたかさんにくっついていたからな」

「ははあ、なるほど」

味方になれるかどうかを、コロボックルたちは、せいたかさんの少年のころから、ずっと調べていたはずだ。そのあいだには、せいたかさんの周囲の人についても、およそのことはわかってしまったのだろう。

こうして、コロボックル物語は、せいたかさんのおさななじみで、当時は童話作家のたまごだった人の手によって書きなおされ、はじめの第一さつはタイプ印刷のそまつなものだったが、とにかく世にでていった。

この計画を考えついたモチノヒコ老人はもういない。これが長老としての最後の仕事だった。しかし、考えてみると、大きなおきみやげだったといえそうである。

6

さいわい、コロボックルの本は、人の世にむかえられた。けっして大歓迎というわけではなかったが。それで、はじめは一巻だけのつもりが、二巻になり、まもなく三巻になった。コロボックルとしては、この三巻でおしまいにする考えだったようだが、のちにもう一巻くわえられ、いままたこうして五巻めが書かれている。たぶん、これが最終巻になるだろうという。

モチノヒコ老人の思いついたこの試みは、老人が願っていたとおり、どうやら人の心に、ささやかながらもうるおいをあたえていったようだ。そして、たしかにこの本を読んだ人たちの中からは、コロボックルの『味方』や、それがだめなら、せめて『トモダチ』になりたいと思う人がたくさん生まれた。

しかし、ほんとうにコロボックルのトモダチになった人はいなかった。ミツバチ事件以来、コロボックルからトモダチとしてえらばれた人間が何人かあるが、その人たちはみんなこの本を一さつも読んでいなかった。そんな本があることさえ知らない人たちばかりだった。

たまたまそうなっただけなのか、それともなにかわけがあるのか、ふしぎに思ったせいたかさんは、コロボックルにたずねてみたことがある。すると、若者のひとりはこういった。

「人間のトモダチには、コロボックルのひみつをもらしてはならない、というおきてがあるでしょう。ところが、あの本を読んだ人は、そのひみつをもういくらか知っているわけだから、トモダチになったあとで、あれこれ問いつめられるかもしれない。それが心配で、みんながさけるんじゃないかな」

「しかし、いくらきかれても、自分の口からはなにもいえないって、はっきりことわっておけばいいだろう」

せいたかさんがそういうと、相手のコロボックルはわらった。

「向こうはそれですむかもしれないけれどね、こっちがついしゃべっちまうんじゃないかって、心配するんですよ。どこまで話していいのか、いつでも気をはっていなくちゃならないわけでしょう」

なるほど、と、せいたかさんもなっとくしたのである。

のちに、ヒイラギノヒコ世話役とふたりっきりのとき、このことが話にでた。さすがに世話役はよくわかっていて、こんなことをいった。

「よくしたものでね、あのおきてのおかげで、トモダチがむやみにふえるのを、ふせいでいるんだ」

それから、しばらくだまっていたが、やがて考えながらつけくわえた。

「しかし、いずれはおきてにも手なおしがいるだろうね。同じわしらのトモダチでも、すぐあとで縁のきれるものもあれば、味方にしたいような人もいるだろうから」

そして、そのことばどおり、まもなく新しいおきてが一つうまれた。そのきっかけになったのは、ウメノヒコ＝ツムジ、べつの名をツムジイさんという、つむじまがりの老学者が、ふしぎな目をした男の子と出会ったことだ。

このいきさつは、四巻めのコロボックル物語にくわしいが、このタケルという名のふしぎな男の子は、コロボックルのほうが、どうしてもトモダチにしなければならない人間ときめた。いわば、国の方針としてトモダチにしたのだ。つまりタケルの場合は、ツムジイさんひとりのトモダチではなく、コロボックル全員のトモダチとみとめたわけだった。

だからコロボックルたちは、この子を『みんなのトモダチ』とよび、ほかの『トモダチ』とは区別した。つまり、これが新しいおきてである。もっとも、本人のタケルは、そんなことなにも知らない。いまのところは野球にむちゅうで、本なんか読まない。コロボックルたちも、まだひみつはふせたままだ。しかし、いずれおりをみてすこしずつ真実を知らせていくだろうし、しょうらいは味方にくわえるかもしれないという。

タケルのあとすぐに、おチャ公ことイサオも、『みんなのトモダチ』とされた。チャムちゃんからコロボックルの本をもらったころのことだ。イサオのほうはこのことを、クルミノヒコ＝ミツバチの口から、はっきりと知らされた。

そして、ついでにいえば、せいたかさんにたのまれて、こうしてコロボックルの物語を書きつづけている作者も、正式には『みんなのトモダチ』のひとりなのだという。ただし、作者の場合は、またすこし事情がちがっていて、コロボックルとじかに会うことはない。この小さな国のことは、すべてせいたかさんをつうじてだけ知らされる、という約束になっている。その点で作者は、いまでも別格あつかいなのだそうだ。

ともかく、こうして『みんなのトモダチ』のための新しいおきてはできた。といっても、これまでのおきてがなくなったわけではないから、やはりコロボックルのトモダチは、それほどふえてはいかなかった。

せっかくトモダチを見つけても、コロボックルのほうが深入りしないように用心することもあるし、ときには一度すがたを見せただけで、それっきりでていかない、なんていうコロボックルもいたらしい。これも薄情なのではなく、相手の受けとめかたがあまりはげしいために、心配になってやめたものだ。

相手の人がらによっては、そんなことにもなる。いくらトモダチになったとはいえ、人間のほうからコロボックルにたいしてできることといったら、ただよびかけてみるくらいしかない。あとは注意して待つだけである。これは、たとえ『みんなのトモダチ』でも『味方』でも、考えかたとしてはすべて同じである。

7

さて、いつのまにか、話があとずさりしていってしまった。あのわんぱく小僧だったおチャ公が、いきなり大学四年生のイサオとして登場してきたためだった。そこで、おとなになったイサオについても、ざっと話しておくことにしよう。

イサオの家は、いまも同じところにある。せいたかさんたちが住んでいた、小さな港町の駅近く、『ミナト電器商会』という電気器具の店がそうだ。前よりすこし大きく、きれいになっている。ふたりのねえさんは結婚して家をでたから、いまここには両親とイサオしか住んでいない。

イサオは、電器屋をつぐ気はなかった。だから大学も機械科をえらんだ。学校をでたら、町の小さな自動車整備工場にはいって、いつかは整備士になるつもりでいる。もしどうしても店のほうをてつだえといわれたら、二階を改造して模型の店にしよう、なんて考えている。

大学にはいるとき、父親から「学校にかかるお金はだしてやるが、こづかいは自分でかせげ」といわれた。イサオも「はい」と答えて、意地になってそのとおりにしてきた。しかし、そうやってかせいだこづかいは、ほとんど自分の趣味につぎこんだ。

おチャ公とよばれていたころ、イサオは家のうらかべによせかけてつくられていた物置小屋を、自分の部屋にしていた。中学生になったとき、前からの約束でその物置は新しくつくりかえられた。下が自動車の車庫になり、その上にイサオの部屋がのった形になっている。もちろん母屋ともつながっているが、外階段もついていて、出入りにはとても便利だった。

そこが、いまでは工作室だった。ムックリくんが工場といっていたところだ。鉄の外階段をあがって、横手から部屋にはいると、入り口にならんで小さな窓が一つ、右のおくには大きな窓が一つある。その大きな窓の前にはがんじょうな工作づくえがすえつけてあって、万力《まんりき》や卓上ボール盤がとりつけてあった。

小さな窓のわきには高い戸だながあり、こまごまとしたものが、こぼれそうなほどつめこまれていた。その向かいがわにはドアが見え、ドアのわきには小さな洗面台もとりつけてあった。左のおくは、カーテンでしきられていて見えない。もとはここにベッドがおいてあったのだが、いまはない。そのかわりになにがあるかというと
――。

はじめて見る人は、カーテンをあけるとたいてい、あっという。そこにはつくえの高さで畳一枚分ほどの台が、かべにそってきっちりとはめこまれ、その台の上には、なんと、どこかの深い山のふもとからきりとってきたような、箱庭式のパノラマがつくられているのである。イサオの話では、正確に四十八分の一の風景だという。

その風景の中には、ひなびた山の小駅《しょうえき》が、ほんものそっくりにつくられていた。短いプラットホームの向こうには、水タンクや石炭置き場も見え、そのおくにすすでよ

ごれた古い機関庫や、機関車の向きをかえるターン＝テーブルがある。これには歯車じかけがしこんであって、ほんものと同じように動かせる。

駅をでた鉄道線路は、すぐに林道と交差する。ここにはふみきりがある。そこからきれこんだかれ谷を短いガーダー橋でわたり、杉林の下をくぐって、岩山の切り通しから暗いトンネルにはいっていく。線路のわきには雑草がしげり、古いレールやまくら木やはずされた車輪などがころがっている。

うしろのかべは、まっ青な空の色にぬられていて、白い雲や遠い山脈などもそれらしくかかれている。それが意外なほどおくゆきを見せているのである。

これこそ、イサオが、こづかいのすべてとあまった時間のほとんどをつぎこんだ傑作だった。いうまでもなく、ここには四十八分の一（O《オー》ゲージという）の模型が走るのだが、線路は一六・五ミリを使っているから、実寸（四十八倍）では八十センチたらずのせまい線路となる。つまりこれは、すでに日本では姿を消しかけている軽便《けいべん》鉄道の、風景つき模型だった。この風景の中を、えんとつの大きな小型の蒸気機関車が、トロッコのような貨車や客車をひっぱって、ゆっくり走る姿は、きみょうになつかしく心ひかれるながめだった。

この模型を、イサオはすべて自分の手で工夫しながら、こつこつとつくりあげた。

Oゲージの模型機関車など、めったに売られていないのである。駅舎や家や電柱や信号機や、その他のこまかいものも、みんなイサオの手製だった。

イサオがなぜそんなめんどうな規格にこだわったかというと、理由は一つしかない。この規格がコロボックルの寸法にあっていたからだ。コロボックルたちはおよそ人間の約五十分の一なのである。だからイサオは、ほんのすこし走っただけで、もうトンネルに消えていってしまうような、短い線路しかできないにもかかわらず、この軽便鉄道の模型をつくった。

ムックリくんも、夏のはじめに一家そろって小山のもとの家へ遊びにきたとき、おねえさんのチャムちゃんにつれられて、このイサオの工作室をたずねた。そのとき、模型の風景の中に、人がどこにもいないのに気づいた。

「なんだか、だれもいなくてさびしいね。人形でもおけばいいのに」

「うん、プラモデルの中に、ちょうどいい寸法の人形があってね。集めてはあるんだけれども、わざとおいてないんだ」

イサオは、そういって声をひそめた。

「ここにはときどき、生きた人形たちがやってきて、自分で機関車を走らせたりするのさ」

「はあ、そりゃすごいや」
ムックリくんはそういって目をまるくしたのだった。

8

そろそろ話を本すじにのせなくてはいけないのだが、イサオのアルバイト先へ遊びにいったムックリくんは、そのあとイサオにつれられて、近くの喫茶店までアイスクリームを食べにいってしまった。どっちみちこのふたりは、もう大すきな鉄道と模型の話しかしないだろう。そこで物語は、ふたたびコロボックルのツクシンボを追うことにしたい。

ムックリくんが、のんきにアイスクリームを食べているころ、ツクシンボもオハナとわかれて正子の家へ向かっていた。じつをいうと、この日のツクシンボは、昼前からオハナのところへ、報告かたがた相談にきていた。

正子に姿を見せたつぎの日、ツクシンボは一日じゅう正子についていたが、べつにかわったようすはなかったそうだ。しかし、夜になって日記帳を手にとったとき、ツクシンボの書きのこした文字を見つけて、しばらくは石になったように、じっと動かなかったという。

「その日の正子さんの日記は、たったひとこと、きょうは何事もなし、って書いただけ……」

ツクシンボは、オハナにそういって報告した。そして、このつぎはいつごろ正子の前にでていったらいいか、ぜひ教えてほしい、とたのんだ。

「そんなこと、わたしにきかなくたって、自分できめたらいいのに」

オハナはふしぎそうな顔をした。そのときのふたりは、チャムちゃんの部屋でなく、庭へでて生け垣のしげみの中にいた。ふたりとも小えだにこしかけて、すずしい風にふかれていた。

「だって」と、ツクシンボは口ごもった。

「オハナって、わたしの心の中も、これから先のことも、みんな見とおしているみたいなんですもの」

「あら、そんなことありませんよ」

そう答えて、オハナはいっそうふしぎそうだった。それこそふしぎな話だが、オハ

ナは自分にそんなふしぎな力があることには、気づいていないようだった。そういえば、子どものころのオハナは、ずばぬけて頭のいい子だったものの、こんな力はもっていなかった。おとなになるにしたがって、いつのまにかすこしずつ身についたものだろう。コロボックルにはそれほどめずらしいことではない。

オハナにしてみると、ただ感じたままをすなおに話すだけだった。といっても、オハナにしかわからない手がかりがあって、気がついたことをいっているのである。しかし、なにがどういう手がかりなのか、どんな手がかりから、どんな答えがでてくるのか、他人はもちろんのこと、本人にもはっきりとはわかっていないらしい。

「とにかく」と、オハナは自分のふしぎな力のことについては、なにもふれずにいった。

「あまりむずかしく考えることはないのよ」

「ええ」

ツクシンボもおとなしくうなずいていった。

「ほんとのことをいうと、このつぎ杉岡正子さんに会うのが、ちょっぴりこわいの。あの人が、喜んでわたしをむかえてくれるかどうか……」

「だいじょうぶ。あの人だって、内心は喜んでいるにちがいないわ。そんな心配するなんて、ツクシンボらしくもない」

オハナは明るくわらって、つぶやいた。

「それにしても……そうね」

ふいになにかを思いだしたような口ぶりで、オハナがつづけた。

「かくれ家をつくる前に、もう一度すがたを見せてごらんなさい。そう、こんどは図書館でなくて、家のほうへいって会ったらいいわ。それも早いほうがいいわね。あの人は待っていると思うから」

オハナは、またもや自分では気づかずに、予言めいたことをいい、小えだの上で立ちあがった。

「さあ、いっしょにいらっしゃい。あなたはチャムちゃんとムックリくんに、報告しておくべきよ」

「はい」と、ツクシンボも立ちあがった。ふたりはさっと下の芝生へとびおり、日ざしの中をちらちらと走って家へはいった。コロボックルとしては、ゆっくりした走りかただったので、ちょうど、二ひきの白いはちが地面すれすれにとんだように見えた。

コロボックルのできごとは、まず世話役から連絡係をとおしてせいたかさんに知らせがいき、せいたかさんからおりを見て姉弟たちにも知らされるのがすじ道である。しかし、ツクシンボと杉岡正子とのことは、この姉弟とたいへんに縁が深い。だからオハナは、思いきってツクシンボの口から、じかに報告させたのだった。

ところで、これまでコロボックルのトモダチになった人間どうしが、知り合いになったことはない。コロボックルたちは、おたがいに知れないように注意しているし、人間のほうでも、そういうひみつはめったなことでは口にしないからだ。

これは味方のせいたかさん一家でも同じことで、チャムちゃんにしろ、ムックリくんにしろ、コロボックルのトモダチでつきあいのあるのは、もともと知り合いだったイサオだけだった。

そこへ、いきなり杉岡正子の名がとびこんできた。チャムちゃんにとって、たったひとりの親友といっていい人が、思いがけなくコロボックルからトモダチにえらばれたという。そうなれば、いずれ正子とふたりで、コロボックルの話もできるようになるだろう。考えただけでも、チャムちゃんはむねがおどった。

「ほんとに、願ってもないいい話よ！」

そういって目をかがやかしたのも当然だし、弟のムックリくんが、この知らせをきいて、宿題のつづきなんかやめたくなったとしても、これはせめられない。

9

オハナとわかれて、コロボックル連絡班の詰め所をでたツクシンボは、まっすぐ正子の家に向かっていた。この日は月曜日で、図書館は休みになる。正子は家にいるはずだった。

ツクシンボは、オハナとしばらくいっしょにいたおかげで、迷いがふっきれたような気がした。なるべく早いほうがいい、というオハナのことばを信じて、そのまま正子の家にいく決心をしたのである。オハナにはなにもいわなかったが、別れぎわに、だまってうなずいてくれたところを見ると、もうツクシンボの心を読みとっていたのだろう。

朝夕はいくらかすずしくなったものの、まだ日中は真夏とかわらなかった。午後の空はまっ青で、入道雲がもくもくとわきたっていた。

正子の家は下町にあって、せいたかさんの家からはだいぶはなれていた。歩いていくにはすこしばかり遠すぎるし、といって、バスを使うと、とんでもなく遠まわりをして、のりついでいかなくてはならない。チャムちゃんも正子も、おたがいの家に一度もいったことがないのは、そのためでもあったようだ。

ツクシンボは、いっきにかけぬけることにした。町には自動車が多かったが、コロボックルにはたいしてじゃまにならなかった。本気で走れば、自動車をかわすくらいはなんでもない。

目を半分つぶるようにして、ツクシンボは丘をかけおり、バス道路にでて、かどの郵便ポストへ足がかかったと思ったら、体が水平になったまま、ばねをきかせてほとんど直角にまがっていった。ボールがはずんでいくのにそっくりだったが、速さがちがう。

そんな勢いだから、たちまち正子の家についてしまった。路地のへいをくぐり、せまいうら庭にはいってようすをうかがうと、正子はそこで、はち植えのあさがおに水をやっていた。日かげのあさがおが、こんな秋口になってようやく花をつけはじめたようだ。

上を見あげているツクシンボには、そのとき、北の空から黒い雲がぐんぐんひろがってくるのが目にはいった。どうやら夕立がくるらしい。遠くで雷の鳴る音がしていた。

（わざわざ水なんかやらなくても、もうすぐひと雨ふってくるっていうのに）

そう思ったら、ツクシンボはきゅうに気がらくになった。そのままどこをどうとおってきたのか、まもなく正子の部屋の出窓にやってきた。その窓台のすみには、姫鏡台がおいてあり、うしろのカーテンとのあいだには、ゆっくりかくれていられるすきまがあった。ツクシンボはそこにこしをおちつけた。家には、いま正子ひとりしかいないとみえて、しんとしていた。

たちまちあたりが暗くなった。ついさきほどまでの明るい空をおぼえていなければ、日がくれたとしか思えなかったにちがいない。ツクシンボは、カーテンのすきまから外をながめてみた。町には街灯がついていた。たぶん、暗くなるとひとりでにスイッチがはいるようになっているのだろう。

やがて、ぽつん、ぽつんと、大つぶの雨が落ちてきた。ちょっと間をおいて、またパラパラッとふった。トタン屋根にあたる雨音が、ひどく大きくきこえた。

ふいにトントントンと、階段をかけあがってくる足音がして、正子が小走りに部屋へはいってきた。窓はあけてあって、網戸になっている。その窓へよって、物ほし台ごしに空を見ているようだった。部屋の中は、もうあかりをつけなければはっきり見えないほど、暗くなっていたが、正子は暗い中でだまって外をながめていた。

あっというまに、ものすごい土砂降りになった。バケツの水をぶちまけたような雨になった。網戸からも水しぶきがふきこんだ。

「あらあら」

正子は、そんな声をかすかにあげて、静かにガラス戸をしめた。とたんに目がくらむような光が走り、ほとんど同時にバリバリバリンと、あきれるほどのすごい雷鳴がひびいた。正子の家はびりびりとふるえ、街灯がいっせいにきえた。

そんなときでも、正子はあまりおどろいたようでもなく、目をぎゅっとつぶっただけだった。そのまま窓からはなれて、文机の前にすわった。電気スタンドに手をのばして、スイッチのひもをひいたが、あかりはつかなかった。どうやら町じゅうが停電したようだった。正子はうす暗い部屋でひっそりとしていた。

その正子を、ツクシンボは感心して見つめていた。いまの雷には、ツクシンボもおどろかされ、もうすこしでとびあがるところだった。左手でカーテンをしっかりにぎり、正子から目をはなさないで考えた。

(でもこの人だって、おどろいているにちがいないわ。ほら、下くちびるをあんなにかみしめているもの。ただ、ちょっと見ただけでは、おどろいていないようだけど。

にぶいわけじゃなくて、こまやかな心をかくしているんだわ)

そのときまた稲光が走ったが、もう遠くへいったとみえて、たいした音はしなかった。ツクシンボは、とびだしていくときをうかがっていた。雨の音がはげしく、いまでていっても話はできないだろう。

こうして、何分たっただろうか。ふいに雨足がゆるくなったかと思うと、もうただの小雨になり、空がいくぶん明るくなった。ツクシンボは、もう待ちきれなかった。姫鏡台のうしろからでて、さっと文机の上まで走った。そして、いった。

「コンニチハ」

片ひじをついてぼんやりしていた正子は、そっと身をひいて、それからゆっくり目を近づけた。一時よりは、かなり明るくなっていたから、ツクシンボの姿はよく見えたはずである。正子は一つゆっくりうなずくと、いつもとかわらない声でいった。

「こんにちは」

10

それから正子は、右手でむねをおさえるようにしながら、顔をよせてささやいた。

「やっとでてきてくれたのね。きっとまたすがたを見せるとは思っていたんだけど、あんまりおそいんで、きのう図書館の書庫に、せいたかさんのまねをして、あなたあての手紙をおいてみたの。あれ読んでくれたのかしら」

「いいえ、それはまだ……」

ツクシンボはいそいで答えたが、いつもの早口にもどってしまい、あわてていいなおした。

「それはまだ読んでいません」

「そう、それならなおさらうれしいわ」

正子のことだから、あいかわらずおちついたいいかただったが、目はきらきらしていた。

「もうよく知っているんでしょうが、わたしは杉岡正子。あなたは」

「スギノヒメ＝ツクシといいます。ツクシンボとよぶ人もいるけど」

「すてきな名前ね。ツクシンボなんて。それにスギの一族だとすると、スギノヒコ＝フエフキとはどういうあいだがらなの」

ツクシンボはだまった。杉岡正子はまだツクシンボひとりのトモダチにすぎない。だから、ツクシンボも身の上についてあまりくわしく話すわけにはいかないのだ。すると正子がにっこりした。

「ごめんなさい。知っていても答えられないことが、あなたには、たくさんあるんでしょうね。かまわないから、そんなときは首を横にふって教えて。けっしてくどくどたずねたりしないから」

「わたし」と、ツクシンボは考え考えいった。

「たぶん、こんなことは話してもかまわないと思うわ。だって、正子さんは、あのコロボックルの本を読んでいるんですものね」

そして、ちょっと肩をすくめた。

「フエフキは、わたしにとっていとこにあたります。あちらはずっと年上ですけど」

「ありがとう、ツクシさん」

正子は心からうれしそうにうなずいて、ツクシンボの前に左手の小指をそっとさしだした。

「げんまんよ。ずっとトモダチでいてね」

「ツクシンボってよんで。みんなそういうわ」

いいながら、ツクシンボも小指をさしだして——それはほんとうに小さなかわいらしい指だったが——正子の小指にふれた。とたんに文机の上の電気スタンドが、ぱっと明るくともった。

「ひゃっ」と、ふたりとも声をあげた。あんなすごい雷にはおちついていたのに、こんどはおどろいた。ツクシンボはおもわず十センチばかりとびあがった。正子がスイッチをいれたままにしておいたので、停電がなおったときに灯がつく。それがちょうど、ふたりのげんまんといっしょだった。

「なんだか、とってもさいさきいいみたいね。わたしたちが約束したとたんに灯《ひ》がつくなんて」

ツクシンボがそういうと、正子も「ほんとにそうね」と、にこにこした。雨はもうすっかりあがっていた。暗くなるときと同じ早さで、みるみる明るくなって、もとの夏の終わりの夕空がもどってきた。正子はそっとスタンドの灯を消してため息をつ

き、それからあらためていった。

「もし答えられなかったら、答えなくてもいいのよ。でも、あなたに会えたら、どうしてもきいてみたいと思っていたことが、一つあるの。だから、きくだけきいて」

ツクシンボがだまってうなずくのを見て、つづけた。

「むかし、わたしがまだ小学校の三年生か四年生のころだけど、この町の空き地で、あなたみたいな小さな人を見たようなおぼえがあるの。緑色のぬいぐるみみたいな服を着ていて、たしか頭にもすっぽり頭巾のようなものをかぶっていた。もしかしたら、その小さな人も、あなたたちのおなかまかしら」

しばらく首をかしげたまま、ツクシンボは考えていた。

かりに、そんなことがあったとすれば、人に見られたコロボックルは、かならず役場に報告しただろうし、そのことはくわしく記録されているはずだった。コロボックル通信社の仕事で、古い書類を調べたことがあるツクシンボも、そんな例は知らなかった。

(正子さんが小学校の三年か四年というと、九年か十年前のことね。そのころの書類はきちんとしているし、見のがしたはずはない……)

ツクシンボは、そこまで考えて、ようやく返事をした。

「こんなこと、いっていいかどうかわからないけど、それはちがうと思うわ」

「そうね」と、正子はすなおにうなずいた。

「やっぱり、わたしの思いちがいね。ばったでもとんだのを、そんなふうに見ちがえたのかもしれない。わたしも半信半疑だったの。どうもありがとう」

そこで、ツクシンボは話をかえた。

「あの、わたし、このお部屋のどこかに、かくれ家をつくらせてもらうわ」

「ええ、どうぞ」

正子はにっこりした。

「わたしのいないときに、母がはいってくることもあるし、兄貴もたまにはのぞきにくるから、見つからないところを考えてね」

そのとき、下から正子をよぶ声がした。

「母よ。買い物から帰ってきたのね。夕立にあって、どこかで雨やどりをしていたんでしょう」

いいながらこしをうかした。

「残念だけど、下へいかなきゃ。また、きっときてね」

「はい」と、ツクシンボはいった。

「わたしもきょうはこれで帰ります」

あっさりとふたりは立ちあがった。窓には夕焼けの赤い日がさしていた。

第四章　めぐりあい

1

しばらくのあいだ、ツクシンボはひどくいそがしかった。

正子の家から小山へ帰ってきたつぎの日、役場へいって、新しくかくれ家をつくるためのとどけをだした。それからまっすぐコロボックル通信社に顔をだして、自分で自分のことを短い記事にした。来週の日曜版の新聞にのせるから書いておくように、という編集長の命令で、通信員のツクシンボはことわれなかった。

『コロボックルの国ではじめて、女子のコロボックルが、外に本式のかくれ家をつくる計画をたてている。こんな思いきったことを考えているのは、スギノヒメ＝ツクシさん。人間のトモダチができたためで、そのかくれ家は、せいたかさん一家の住む町につくられるという』

ツクシンボの書いたのは、たったこれだけだが、編集長はおしまいにちょっとつけくわえた。

『なお、ツクシさんは当通信社の優秀な通信員のひとりである』

あとで記事がでたとき、ツクシンボは顔を赤くするにちがいない。とはいえ、コロボックルたちは、新聞にのったくらいではあまりおどろかない。『コロボックル通信』には身近な人が毎号のっているので、みんななれているのである。

さて、そのまたつぎの日、ツクシンボは朝早く、ヒノキノヒコ＝トギヤの棟梁を仕事場にたずねていった。

小山の東がわにあるがけの岩だなに、この大工の仕事場があり、ふだんはここで、細工物をしている。岩だなの上も、ひさしのように岩がでていて、ここは雨もかからないし、風もあたらない。おくにはがけの上からおりてくる道がついているし、そのわきには岩をくりぬいた小さな岩屋もできている。

そういえば、前にせいたかさんもいっていたが、この仕事場の下にきて耳をすますと、かすかに大工仕事の音がきこえるそうだ。ほんとうはすぐ近くなのに、まるで遠くの音のようにきこえてくるらしい。

その朝、ツクシンボが仕事場にはいっていくと、トギヤの棟梁はいなくて、かわりにあの心配性のクスノヒコ＝エカキがひとりでいた。

「やあ、くるだろうと思っていたよ。やっぱりかくれ家をつくることになったそうだね」

「あら、どうして知ってるの」

ツクシンボは首をかしげた。あの記事も、こんどの日曜日までは新聞にのらないはずだ。

「なに、通信社に仲のいいやつがいてね。きのうの夜、ちらっと教えてくれたんだ」

エカキは、友だちどうしのような口をきいたが、どちらかというと、しぶい顔をしていた。あいかわらず、ツクシンボがかくれ家をつくることには、あまり賛成していないようだった。

「その通信社のやつは、ぼくにきみの似顔絵をかけっていってきたんだ。だから、もしきみがここへあらわれなければ、ぼくのほうから会いにいくつもりだったよ」

「なんでまた、あなたがわたしの」といいかけて、ツクシンボはうなずいた。記事といっしょに新聞にのせるつもりなのだろう。通信員のツクシンボは知らなかったが、エカキはそんな仕事も、ときどきたのまれているにちがいない。

「さ、そこにすわって」

大工の仕事場とも思えないような、古ぼけたきずだらけのテーブルがあり、その横には、これまたがたがたの古いいすが二つおいてあった。エカキはその一つにツクシンボをこしかけさせ、自分はすみにおいてあった画板をとってかまえた。

「だけど、ちょっと待ってよ」

ツクシンボは、ぴょんと立ちあがっていった。

「わたしは、かくれ家のことで棟梁に会いにきたのよ」

「わかってる。そのことだったら、約束どおりぼくが念入りにつくらせてもらう。トギヤの親方にも、このことはことわってあるよ」

「それならいいけど」

あっさりいって、またこしをおろした。

「あなたのつごうのいいときに、案内しますから、日にちを教えてね」

「できたら、その、きみの相手の人間も見たいんだが、いいだろうか」

さらさらと手を動かしながら、そんなことをいった。

「いつでもどうぞ」と、ツクシンボは答えた。エカキはだまってうなずき、「よし」といった。絵はもうできあがったらしい。

「見せて」

ツクシンボはさっと立って走りよった。エカキはあっさり画板をわたし、すたすたと岩屋のほうへいってしまった。自分をかいた絵を見て、ツクシンボはおどろいた。ぎょっとするほどよく似ていた。自分がきらいな目もそっくり——というより、ずっと強められている。

「それは下がきでね。仕上げはなにも見ないでかく」

ふいにうしろでエカキの声がした。じゅずだまという草の実をくりぬいてつくった、大きなカップを二つかかえていた。このカップはむかしからコロボックルが使っている道具の一つで、水やお茶をのむためのものだ。下においたとき、ひっくりかえらないように、台がつけてあるし、持ちやすいように、とっ手を一つ——子ども用は二つ——つけてある。

しかし、エカキの持ってきたカップには、ただの水ではなく、木いちごのジュースがはいっていた。木いちごはコロボックルの大好物で、夏の朝早く、みんなでこのいちごをとりにでる。日があたる前の、朝つゆにぬれているときにとるのが、いちばんうまいといわれている。食べきれないものは、こうしてジュースにしたり、ジャムにしたりしてしまっておく。

「さて、どんなところにどんなかくれ家がほしいのか、ざっときかせてほしいな」

クスノヒコ＝エカキは、テーブルだか道具台だかわからないつくえの前に、がたがたのいすをひきよせた。

2

こうしてようやく秋の気配がただようころ、ツクシンボのかくれ家はできた。エカキはもんくをいいながらも、杉岡正子の家まで何回も足をはこんで、姫鏡台の中に居心地のいい小部屋を一つつくってくれた。正子はかぎのついたひきだしを、喜んでツクシンボにあけわたしてくれたのである。

もちろんエカキは、正子がいないときに仕事をした。昼はにいさんもいないし、おかあさんはたいていい一階の茶の間にいる。あまり大きな音をたてないかぎり心配はなかった。たまにはトギヤの棟梁もいっしょにやってきたが、こんなときはエカキの指図にしたがって働いていた。

小部屋の出入口は鏡台のうしろにあり、じょうずにかくされている。出窓の窓台にも、ふしあなを利用したくぐり戸がつけてあって、ここから物ほし台にでられるようになっていた。

このツクシンボのかくれ家を、正子はたった一度しかのぞいていない。できあがったときに、ツクシンボが正子をよんで、「ちょっと見て」といった。そのときだけ正子はひきだしをあけてながめた。しかし、あとはしっかりかぎをかけたきり、あけたことはない。その合いかぎもみんなツクシンボにあずけてしまった。

正子も、ほんとうはもっとゆっくりツクシンボのかくれ家を見ていたかった。でもそんなことをすると、またあれこれたずねたくなって、ツクシンボをこまらせるだろうと思い、やめておいたのである。それでも、うっかり口をすべらせてしまった。

「ここもやっぱり、ヒノキノヒコ＝トギヤの棟梁がつくってくれたの？」

「え、え、ええと、それが……」

トギヤではないと答えれば、ついクスノヒコ＝エカキのことも話したくなってしまう。それでつい口ごもった。すると正子は大いそぎであやまった。

「いいの、答えなくていいのよ。ごめんなさい」

「ほんとに……こんなのいやだわ!」

気の強いツクシンボは、両手をこぶしににぎって体の前でふった。

「わたし、正子さんには、みんなしゃべってしまってもいいんじゃないかって、思うわ。だって、トギヤのことだって、ちゃんと本には書いてあるんだし、正子さんがきくのはあたりまえよ。それなのに、わたしがどう答えていいかわからないなんて、おかしいわ」

「そんなにおこらないで」

いつものように、正子はおっとりとやさしくいった。

「わたしのほうで、よく気をつけるように

するから。おきてはおきて、まもらなくてはいけないでしょう」

「それはそうだけど、でもわたし、このことは世話役さんにたのんでみる。正子さんは、わたしひとりのトモダチでなくて、コロボックルみんなのトモダチにしてほしいって。だって、あの本を読んだ人でトモダチになったのは、はじめてなんだから」

ツクシンボは、ひとりごとのようにいったが、正子はだまっていた。『みんなのトモダチ』なんていわれても、正子にはまだよくわからなかったし、コロボックルの国のことには、口だししたくなかったのだ。

男まさりのコロボックルむすめ、スギノヒメ＝ツクシは、思いきってヒイラギノヒコ世話役のもとへでかけていった。そして、せっかく杉岡正子とトモダチになったのに、うっかり話もできなくてこまること、おきてをまもるためには、だまりこくっているよりほかに、手がないことなどをうったえ、なんとかしてくださいとたのんだ。

世話役は、しばらく考えたのち、こういう返事をしてくれた。

「よし。この問題は、きみの判断にまかせよう。話してもいいかどうか、おきてにはこだわらずに、自分ですきなようにきめなさい。ただし、一つだけ約束してもらわなくてはならないよ」

「どんな約束でしょうか」と、ツクシンボは真剣に問いかえした。すると、世話役はにっこりした。

「きみが杉岡正子さんに話したことを、わしにだけは正直に報告してもらいたい。すくなくとも月に一回はね。それもできるだけ口頭がいい。きみはメモでもつけておいて、わすれないようにするんだな」

ツクシンボは、だまって世話役の顔を見つめて考えた。これは、なにを話してもかまわないといわれたのと、ほとんど同じだった。

「どうかね、この約束はまもれそうかね」

「はい、まもれます」

元気よく答えて、ツクシンボはほっとため息をついた。そんなようすを、世話役は、おもしろそうにながめていたが、こんなことをつけくわえた。

「きみのえらんだ人間のトモダチは、なかなかよさそうだね。だいじにしなさい」

このとき、ツクシンボが世話役にいいわたされた『条件つきの自由』は、のちに、『ツクシの約束』とよばれる新しいおきてになり、コロボックルのトモダチになった人間が、すでにコロボックルの本を読んでいる場合には、いつでもあたえられた。

とにかくツクシンボは、大喜びで正子のもとへかけつけ、もうどんな話をしても心配ないことをつたえた。

「さあ、なんでもきいて。たいていのことには答えられるわ」

「ありがとう」

正子もほっとしたようににこにこした。しかし、それでも用心ぶかい正子は、ツクシンボに注意した。

「でも、わたしたち、やっぱり気をつけたほうがいいわ。世話役さんは、なにを話してもいいといったわけではないんでしょ。話してもいいかどうか、自分できめなさいっていったんじゃなかったの」

「はい、そのとおりでした。だけど、うっかりしゃべったとしても、あとで正直に報告すればいいんですからね」

そう答えてツクシンボは首をすくめた。

3

ヘンな子の正子と、かわった子のツクシンボは、たちまちうちとけて、いいトモダチになった。よほど相性がよかったのだろう。

正子のほうは、毎日元気よく図書館へかよい、アパッチ先生の助手をつとめた。夏休みがおわっても、なぜか子どもたちが図書館によく集まるようになって、ますます正子は、児童室になくてはならない人になっていった。

そのためかどうか知らないが、十月になって正子の見習い期間がすぎたとき、館長さんは、杉岡正子をあらためて『児童室係』にしてくれた。アパッチ先生は、もういちいち庶務主任の浜村さんにことわらなくても、正子を使えるようになったし、浜村さんとしては、望みどおり、いままでのしかえしができることになったわけだ。

正子のつくえは、となりの司書室へうつされ、そこのアパッチ先生のつくえの横にくっつけられた。浜村さんは、ときどき児童室のあいていない午前中に、正子のところへいそぎの仕事をたのみにきた。そんなとき、アパッチ先生がいると、うれしそうに大きな声をあげた。

「すいませんが、杉岡先生をちょっとかしてください」

「こまりますね。うちの先生をやたらにこき使っては」などと、アパッチ先生はわざと口をとがらせたりするが、もちろん本気ではない。たのまれた仕事を先にするようにいって、正子が手ぎわよくかたづけるのを、にこにこと見ていた。

それにしても、アパッチ先生が、前より安心して外の仕事にでていくようになったのは、たしかである。正子は、毎日午後になると児童室につめ、子どもたちの世話をしてすごした。自分ではまだ気づいていないのだが、正子は出入りする子どもたちから、たいへんしたわれていた。女の子だけでなく、男の子も同じだった。

　ちびでおとなしくて、高い声をあげたこともない正子のいうことを、子どもたちはふしぎなほどよくきいた。まれに、手におえないような子がきても、正子が――内心はこわごわ――近よっていって、じっと目を見つめながら注意をすれば、たちまち静かになった。たまたまいあわせたアパッチ先生は、そんなときの正子を見ていった。

「きみは魔女のようだねえ。あの子にどんなじゅもんをふきこんだのか、教えてほしいもんだよ」

　正子は答えようがなくてこまった。自分はただ、「静かにしてね」とささやいただけだったから。しかし、あとでひとりになったとき、正子は考えた。

(アパッチ先生のおっしゃるとおり、わたしは魔女みたいなものかもしれない。だって、あの奇跡の小人コロボックルのひとりと、トモダチになっているんだもの。魔法を使うわけではないけれど、これは魔女といわれてもしかたがないところだわ)

　そう思うと、正子のむねの内が熱くなった。誇らしくもあり心強くもあった。貧しいことも、美人でないことも、まして、ヘンな子といわれることなど、まったく気にならなかったし、もっともっとつらいことでも、平気でがまんできると思った。

おさないころの正子は、自分に守り神がついていると信じていた。正子が、どんなにいじめられようがなかまはずれにされようが、知らん顔をしていられたのは、その守り神のおかげだったともいえる。ところがいまでは、ほんものの生きた守り神、コロボックルのツクシンボがついているではないか。正子のむねが熱くなるのもむりはなかった。

さて、そのツクシンボのほうは、子どものころからもちつづけてきた夢を、はじめて正子に語った。コロボックルたちが思ってもみない遠いところまで、たったひとりで旅をしてみたいという、大きな夢——。

「それで、帰ってきたら、旅行記を書くつもりなの。通信社の通信員になったのも、その勉強のためよ。見たことをそのままじょうずに書く練習になるでしょう。記者はだめ。仕事にしばられるから」

ツクシンボが熱心に話すのを、正子もまた、だまって熱心にきいた。

「わたし、図書館には、ずいぶん前にかよっていたことがあるのよ。正子さんがまだいないころだけど。そのときは地図を調べにいっていたのね。でも、あそこには読みたい本がいっぱいあるのに、わたしたちには重い本ばかりで、ひとりでは読めないでしょう。とても残念だった」

「そのことなら、もうだいじょうぶよ」と、正子は大きくうなずいた。

「読みたい本を教えて。借りだしてきてあげるからここで読むといいわ。わたしがなんとか工夫して、本をひらいてあげる」

「ありがとう」

ツクシンボは心からお礼をいった。長いあいだのどがかわいていたところへ、やっと冷たい水をもらうような気持ちだった。ツクシンボは、さっそく読みたかった本の一覧表を正子にわたした。その表を見た正子は、よく調べてあるのにすっかり感心した。

まもなくツクシンボは、正子の部屋の出窓で本を読むようになった。正子は、ひろげた本の表紙がもどらないように、洗濯ばさみとゴムバンドとブックエンドを使って、じょうずにとめてくれた。ツクシンボは、うすいページだけめくって、ゴムバンドにはさむだけでいい。

ツクシンボは、正子のるすのときにきて、ゆっくりと読書を楽しみ、安心してノートをとるようになった。なぜかというと、聞き上手の正子といると、ついおしゃべりになってしまうからだった。世話役に報告するために、あとで思いかえしていると、ひとりで顔が赤くなることがあった。

それでも、せいたかさん一家については、ツクシンボもまだなにも話していなかった。世話役からも、このことだけはだまっているように、といわれていた。チャムちゃんと、正子のあいだがらを考えれば、いずれわかるときがくるにちがいない。そのときまでは、そっとしておいたほうがいいと、世話役は——ツクシンボも——考えていた。

4

そして、思ったより早く、そのときがやってきた。チャムちゃんの弟のムックリくんが、図書館に顔を見せたのである。夏休みのあとはじめてのことで、もう二月近くたっていた。

ムックリくんは、本ならなんでもばりばり読みとばすような、読書力の高い子だが、しかし、前にもいったように、この子は『専門家』のひとりで、女の子に多い『読書家』ではない。だから図書館にも、なにか目あてがなければでかけていかない。鉄道のこと、模型のこと、それにすこしでもつながりがあると思われる本や雑誌や、図鑑、工作の本、プラモデルの本などをさがし、見つけたときは、読みとばすどころか、じっくりとかかえこむようにして読む。小学校四年生には、とてもむずかしいと思われる本でも、なんとか読んでしまうのである。たとえば電気についても、すでにムックリくんはひととおりの知識を持っていた。

そのムックリくんが、児童室にやってきたのは、たしか木曜日だった。アパッチ先生がでかけていて、正子はひとりでるすばんをしていた。ちょうど正子が、戸口のほうを見るともなく見ていると、ムックリくんが体を半分だけ室内にいれて、だれかをさがすようにあたりを見まわした。そして正子と目があった。

とたんにムックリくんは、ぱっと顔をかがやかせた。正子はムックリくんがかけよってくるのかと思ったのだが、そうはしないでゆっくりと近づいてきた。

「こんにちは、杉岡正子先生」

ムックリくんは、いきなりそういった。正子は自分の名前を正しくよばれて、ちょっとおどろいた。

「わたしの名前を、どこで調べてきたの」

わらいながらたずねると、またムックリくんは正子をおどろかせた。

「ねえさんにきいたんだよ」

「えっ」と、正子はあらためてムックリくんを見つめた。そういえばこの子の目つき、いつかもだれかに似ていると思ったんだけど、と考えたが、やはりわからなかった。

「あなたのおねえさんとわたしとは、知り合いだっていうこと？」

「そうだよ。親友だっていってた」

正子は、ゆっくりとうなずいた。内心は、ムックリくんがだれの弟だかふいにわかって、うろたえていたのだ。おかげで、この子のねえさんの本名が、とっさにはでてこなかった。

「あの、あの、チャムちゃんでしょう、あなたのおねえさんは」

ムックリくんはにやりとした。どうやら自分の姉のあだ名は知っていたらしい。

「そう、そのとおり」

ほっと、正子は肩の力をぬいた。あのおっとりした美少女のチャムちゃんには、卒業以来一度も会っていない。

「そうだったの、どうりで」と、正子はおもわずにこにこした。

「で、おねえさんは元気？」

「うん、元気だよ。このあいだまで、試験試験って、大さわぎしていたけど、いまはのんびりしてるんだって。だから、杉岡先生に会いたいって。そういってくれってさ」

ムックリくんは、ねえさんによく似た目つきでいった。正子はうれしくなって、つくえの上に体をのりだした。

「あのね、わたしもあなたのおねえさんに会いたいって、そうつたえて。夜、電話をちょうだいって」

「うん、いいよ」

ムックリくんはあっさりひきうけて、さっとはなれていった。

そのあと、借り出しをする子どもたちが正子のつくえの前に列をつくりはじめ、いっとき正子はいそがしくなった。ようやくかたづけて手があいたとき、ムックリくんをさがしてみると、すみのほうにいた。ゆかにあぐらを組み、本だなの横板によりかかって、大きな写真集に見いっていた。正子はその姿をながめながら、ぼんやり考えていた。

(そういえば、わたしにコロボックルの本を教えてくれたのは、この子だった。なんだかコロボックルのひみつも、よく知っているような口ぶりだったけど、もしかしたら、この子もあの人たちのトモダチなんだろうか)

まさか、と、正子はいそいでうちけした。どう見たって、このわんぱく少年が、コロボックルのトモダチとは思えなかった。

(おねえさんのチャムちゃんなら、ぴったりなんだけどねえ)

そこまで考えたとき、正子はあることに思いあたって、ぎくりとした。

チャムちゃんは中学校の三学期まで、この町からすこしはなれた、小さな港町で育ったときいている。その港町は、正子がコロボックルの本を読んだとき、小山のある町ではないかと考えたところだ。そう思いついてみると、あとはページをめくるように、いくつも思いあたることがでてきた。

チャムちゃんのおとうさんは、たしか電気会社につとめている。おかあさんのほうも、むかし幼稚園の先生だったことがあるっていっていた。

いつだったか、チャムちゃんが正子に向かって、「あなたはすてきなひみつをかくしているみたい」といったことがあった。そのとき正子が、「あなたこそ、そんなふうに見える」と答えたのだが、あのチャムちゃんが、なぜかみょうにどぎまぎしていた。めずらしいことなので正子はよくおぼえている。

正子は、いそいでつくえのひきだしから便箋をとりだし、ボールペンで走り書きをした。


『きょう、弟さんが図書館にきて、思いがけないことづてをもらいました。とても喜んでいます。ぜひ一度お会いしたいと思います。あなたに相談してみたいことがあるので、夜わたしのほうから電話します。それから、あなたは子どものころ、おチャメってよばれていませんでしたか。

正子』

この手紙を細く折りたたんで、結び文にした。それを持ってムックリくんに近づくと、横にかがんで小声でいった。

「この手紙、おねえさんにとどけて。お願いよ」

目をあげて正子を見たムックリくんは、にっこりして結び文を受けとり、ジャンパーのむねポケットにしまった。

5

その同じ日、コロボックルのツクシンボは、短い旅行にでていた。

もちろん、これまでにも、この勇敢なコロボックルむすめは、通信社の仕事にかこつけて、かなり遠くまでいったことがある。正子にそっとうちあけたところによると、飛行場までいって、飛行機にものってみたという。

「でも、中を見ただけで、すぐおりたのよ。空をとんだわけではないの」

そういってツクシンボはわらったが、こんなのは旅とはいえない。地図で調べたことをたしかめにいっただけだ。ところが、こんどはちがう。ツクシンボは旅行の案内書を読み、列車やバスの時刻表を調べ、正子とも話しあって、できるだけいろいろな乗り物にのれるような計画をたてた。

ふたりは、この旅行を『密航者の旅』と名づけておもしろがった。きっぷは買わずに、かくれて乗り物にのるのだから、コロボックルはいつでも密航者にちがいない。

海をわたるのでなければ、コロボックルは自分の足でどこへでもいける。オーニソプター（羽ばたき式飛行機）を使うという手だってある。それでもツクシンボは、わざわざ密航者の旅をこころみることにした。人間の乗り物をよく知っていれば、きっといつか役にたつだろうと、ツクシンボも正子も考えたのである。

この旅は、大きな湖のある山へいった。紅葉が美しいと案内書にあったので、ながめてみたいという気もあった。前の日から正子の部屋のかくれ家にきていたツクシンボは、朝早く正子のささやき声に送られて出発した。

長い髪はいつものように一本のおさげに編み、頭のまわりにまいてとめた。こしには用心のために短剣をつけ、背中には小さな袋をせおった。

山のふもとまで、わざわざ電車でいき、そこの駅で登山電車にのりかえた。小さな登山電車は、トンネルをいくつもくぐり、深い谷を何度かわたって、ぐんぐん山をのぼった。休日ではないのに、かなりこんでいた。電車やバスがあまりこんでくると、コロボックルでも人目をさけるのに苦労する。そんなときは、運転台にかくれるのがいいが、外の景色はあまり見えない。

この登山電車でも、ツクシンボは運転台にかくれていたのだが、どこかの駅でとまったと思ったら、運転士がでていって、かわりに車掌がやってきた。そして電車はいきなりぎゃく方向に走りだした。

(そうか、これがスイッチバックなのね)

案内書を読んでいたツクシンボは、おどろきながらもそう思ってうれしかった。

高くのぼるにつれて、谷の紅葉があざやかになり、やがて登山電車は終点についた。そこからはケーブルカーにのる。きゅうな坂道にあわせて、ななめにおしつぶしたような形の車だ。といっても、ゆかはななめではこまるから、階段になっている。

このケーブルカーは、ひどくこみあっていたので、ツクシンボはすぐ外へでた。すこし寒いのさえがまんすれば、外がわにもコロボックルののれる場所はいくらでもある。ケーブルカーはゆっくり静かに走るので、ふり落とされる心配もない。おかげでツクシンボは、山の景色をたっぷりと楽しんだ。

すぐ終点につき、ここからはロープウエーがある。人間が十人ほどのれるゴンドラが、いくつもいくつもロープにつりさがって、ゆれながら峰にそってのぼっていく。近よって調べてみたが、中はバスよりもずっとせまく、運転台もない。これではかくれ場所にこまるかもしれないと、ツクシンボは思った。

ケーブルカーのように外にのってもいいが、風でとばされるかもしれない。いくらコロボックルでも、あまり高いところから落ちるのは、やはりあぶない。

しばらくまよったすえに、思いきってのりこんでみると、人間たちは景色にむちゅうで、荷物のかげにいるツクシンボなんか、気づきもしなかった。そのあいだにゴンドラは、ゆらゆらと高い峰をこえ、大きな谷をわたって、山かげの大きな湖のほとりまで、ツクシンボをはこんでくれた。

湖には、白い遊覧船が待っていた。ケーブルカーもロープウエーもはじめてだったが、船にはのったことがあった。コロボックルの国のある町は港町だし、せいたかさんたちの住む町にも大きな港がある。だから港までいって、近くへいくフェリーボートにのってみた。この遊覧船よりももっと大きい船だった。

そのときから、ツクシンボは船がすきになった。乗り物の中ではいちばん大きくゆったりしている。かくれ場所もさがせばいくらでも見つかる。それで、この船にのりこんだら、すこしのんびりしよう、楽しみにしていた。

船がでるまで、まだだいぶ時間があったが、かまわずにツクシンボは桟橋へ走りでて、さっさとのりこんだ。操縦室の屋根のかたすみに、すてきな特別席――コロボックルにとって――を見つけ、そこでほっとくつろいだ。おなかがすいていたので、湖をながめながらおべんとうを食べようとしたとき、ふいにだれかが自分を見つめているような気がした。

ねずみかもしれないと思って、ぱっと立ちあがった。だが、ねずみではなかった。いっしゅん、コロボックルのだれかが、あとをつけてきたと思った。しかし、すぐツクシンボはぎくりと気がついた。

（ちがう。こんなかっこうは見たことがない。これはわたしたちの国のものじゃないわ！）

上から下まで、くすんだ草色の着物にくるまった、きみょうな姿の小人――コロボックルそっくりの小人だった。

6

相手はゆっくりと近づいてきた。着物と同じ布で頭も顔もつつみ、目だけ光らせている。背中には刀らしいものをななめにせおっていた。ツクシンボよりいくらか背が高く、体つきで男だとわかる。

ツクシンボは知らなかったのだが、この姿はむかしの忍者とよく似ていた。ただ足にはやわらかそうなくつをはいていたが。

「きみはだれか。どこからきたのか」

いきなりたずねられた。もちろん人間の耳にはルルルッとしかきこえない早口だったが、ことばのはしばしに耳なれないなまりがあった。

さすがに、気の強いツクシンボも、おびえて声がでなかった。はじめてこころみた『密航者の旅』で、まさかこんなことに出くわすとは思ってもいなかった。どう見ても同じコロボックルなのに、ここにいるのはちがうのだ。そんなことってあるのだろうか。

「きみは、どこからきたのか」

ツクシンボが答えないでいるものだから、相手がかさねてたずねてきた。向こうもかなりおどろいているような口ぶりだった。

「あなたは……」

ようやくのことで、ツクシンボは声をしぼりだした。そして、あとで思いだしたときに、どうしてあんなことを口走ったのだろうと、自分でも首をかしげたような質問をした。

「顔を見せるのがはずかしいんですか」

「……これはおれたちの旅のしきたりだ」

そう答えて、ついっと前へでた。

「そんなことをたずねるようでは、やっぱりおれたち………のなかまではないな」

………というのが、よくききとれなかった。ツクシンボは、向こうが前にでたぶんだけ、うしろへさがった。

すると、相手はまたつめよった。ツクシンボはとびさがった。と、ふいにうしろからがっちりとつかまえられてしまった。向こうには、なかまがもうふたりいたのだ。目の前のひとりに気をとられているうちに、いつのまにかうしろへまわったらしい。このふたりも、はじめの相手とまったく同じすがたをしていた。

「こいつ、思ったとおり女だぞ」

うしろのひとりがいって、手をゆるめた。そのすきにツクシンボは、ふりもぎってにげようとしたのだが、すぐにまたおさえられた。

「乱暴をするつもりはないんだが、おれたちはきみに、たしかめてみたいことがある。その前ににげられてはこまるんだ」

目の前の相手がそういった。

「わかった。わかったからはなして」

　ツクシンボはおとなしくいった。うしろのふたりは手をはなしてくれたものの、用心してそこから動かなかった。

「さ、もう一度きこう。きみはどこのだれなんだ」

　正面の男が、三人のなかではリーダーなのだろう。いいながらじっと見すえた。目だけしか見えていないので、なんとなくうす気味わるかった。ツクシンボはため息をついた。

「わたしのほうも、同じことをあなたにききたいわ」

　相手は腕組みをして、ツクシンボをしばらくじろじろとながめまわした。

「同族ではないとしても、どうやら同類ではあるらしいな」

　そういって、ぱらりと腕をほどいた。

「おれたちには、古いいいつたえがある。どこか遠いところに、おれたちの同類がひっそりと生きのびているはずだ、というんだ。だが、これまでに出会ったという話は、きいたことがない。きっとこれがはじめてではないかと思う」

　ツクシンボがなにもいわないので、相手は先をつづけた。

「おれたちは、むかしから山おくの山ぐらしだ。春から秋にかけては、すきな山にはいる。身内ごとにわかれてばらばらでくらすんだ。なかにはこのおれたちのように、気のあったどうしで旅をするものもいる。そして冬になると、みんなが一つの山のふもとに集まってきて、いっしょに春まですごす」

　ツクシンボが、ふいに口をはさんだ。

「どこの山のふもとですか」

「その山の名をいっても、きみにはわかるまい。ここからだと、けわしい峠を四つも五つもこえていったところだ。きみにその気があるなら、案内してやってもいいが、冬にはまだ間があるから、いまはだれもいないだろう」

「それは、残念だわ」と、ツクシンボはつぶやいた。半分は本気だった。それをきいた相手はうなずいた。

「しかし、きみのほうは、みんないつもいっしょなんだろう。いったいどこなんだ。おれたちをそこへつれていく気はないか」

　そのまましばらく、ふたりともだまっていた。ツクシンボは、湖のさざ波を見つめながら、必死で考えていた。こんなことを、ひとりできめていいかどうか、わからなかったのだ。すると、また相手がいった。

「どうせおれたちは旅のとちゅうだ。きみが案内してくれなければ、かってにあとをつけていく。うまくおれたちをまいて、にげきる自信があるか」

にげられないこともないとは思ったが、ふと、この人たちには、世話役も会ってみたいかもしれない、という気がしてきた。

「いいわ」と、ツクシンボは顔をあげた。

「でも、一つ注文があるんだけど」

「なんだ」

「こんな重大な話をしているのに、顔をかくしたままなんて、失礼だと思うわ」

「うん」と、相手はうなずき、あとのふたりにも目で合図して、いさぎよく三人そろって頭巾をとった。みんな同じ年くらいの若者だった。ツクシンボは、目をまるくして若者たちの髪の毛を見た。

「あなたたち、そのむらさきの髪の毛、どうやってそめたの」

「いや」

リーダーの若者が、まじめに答えた。

「そめたわけじゃない。これはうまれつきだ」

7

しかし、ツクシンボは、コロボックルの国へまっすぐには帰らず、若者三人をつれて、せいたかさんの家にある、連絡班の詰め所へより道した。もちろん、このことは若者たちにも話しておいた。いきなり小山の本国へつれていって、みんなをあわてさせたくないと考えたからだ。

この帰り道で、おたがいに名のりあったとき、リーダーの若者――ハヤタロウという名前だった――は、自分たちをチィサコ族だといった。むらさき色の髪の毛がこの種族の特徴だそうだ。こい、うすいはあるが、みんなこんな色の髪の毛をもっているという。チィサコとは、「小さなもの」という意味だそうで、これにたいして人間のことはデエボというそうだ。これは「でかいやつ」という意味になるという。

ツクシンボのほうも、自分たちはもともとコロボッチ（転々童子）とかコボシ（小法師）とかよばれていたが、いまでは大むかしの先祖の名にちなんで、コロボックルと名のっていることを話した。

その日の夕方、ふいにあらわれためずらしい客を、詰め所では思ったよりもおちついてむかえてくれた。班長のヤナギノヒコ＝ネコ、その夫人のテマリ、チャムちゃんの連絡係オハナ、そして、こうたいでつめているクマンバチ隊員たちに、ツクシンボは三人の客をひきあわせた。くわしいことはすべてはぶいて、ただ山でばったり出会った、とだけいった。

班長はすぐさま小山の世話役に知らせを送り、テマリ夫人とともに、この山育ちの若者たちをもてなした。ネコ班長のたのみで、ツクシンボもずっといっしょにいたが、はじめのうちは三人ともかたくなっているのがよくわかった。でも、明るいテマリ夫人は、相手がだれだろうとまったくこだわらない。コロボックルの若者と同じようにあつかうので、すこしずつうちとけてきた。

知らせを受けとった小山でも、おどろいたにちがいない。朝を待たずに返事の伝令がとどいた。翌朝むかえの使者をだすので、客にはひと晩そちらでゆっくり休んでもらうように、ということだった。とりあえず、これでツクシンボの役目はおわった。

責任をはたして、ほっとしたと同時に、ぐったりつかれたツクシンボを、オハナは自分の部屋へつれていって、やさしくねぎらってくれた。そして、こんなことを教えてくれたのだった。

「あなたのいないあいだに、こちらでも、ちょっとおもしろいことがあったのよ」

そう前おきしていった。

「杉岡正子さんは、ツクシンボが見こんだだけあって、たいしたものね。ついさっきチャムちゃんに電話をしてきて、こういったんですって。『あなたは、コロボックル物語にでてくる、おチャメさんのモデルではないか』って」

「モデルですって？」と、ツクシンボはふしぎそうにいった。

「それで、チャムちゃんはなんて答えたの」

「モデルっていうよりは、実物そのものよ、って」

ふふふっと、ふたりは顔を見あわせてわらった。オハナもうれしそうだった。

「でも、電話ではそれだけで、くわしいことは近いうちに会って話をするらしいわ」

「よかった」と、ツクシンボはうなずいた。

「でも、どうしてわかったのかしら。いずれはわかると思って、だまっていたんだけど」

「ムックリくんよ」

そういってオハナはにこにこした。

「あの子が図書館へいって、チャムちゃんの弟だっていったのが、きっかけだそうよ。ムックリくんはなにもいわなかったって、いってたけれど、あの子は自分で気づかずに、なにかヒントをやってしまったのかもしれないわ」

「そうかもしれない。正子さんっていう人はとてもかんのいい人で、なにも気がつかないようなふりをしているけれども、なんでもよくわかっている人だから」

そこまでいったとき、ツクシンボはふいに思いだした。正子とはじめて口をきいた日、かわったことをたずねられた。正子がまだ子どもだったとき、小さな小さな神さまの姿を、ちらりと見たおぼえがあるという。たしかこんなふうにいっていた。

「緑色のぬいぐるみみたいな服を着て、頭巾をすっぽりかぶって……」

しかし、コロボックルがだれか人間に姿を見られたとすれば、かならず記録がのこっているはずだし、人間に見られて気がつかないコロボックルなんて、とても考えられない。たぶんわたしたちではなかったのでしょうと、ツクシンボは答えておいた。

正子のことだから、「ばったでもとんだのを、見ちがえたのかもしれない」と、あっさりなっとくしていたが、あれはもしかすると、あの山おくで生きのび、あちこち旅をすることのすきな、チィサコ族のひとりではなかったろうか。正子はぬいぐるみの服っていってたが、ちらりと見ただけでは、そう見えてもふしぎはない。

チィサコ族のことは、ツクシンボもまだほとんど知らない。それでも、コロボックルたちのくらしかたとは、かなりちがっているということだけはわかる。

(はやく正子に会って、こんどのことを話してやらなくちゃ)

ツクシンボがそう心の中でつぶやくと、まるでその声のないつぶやきがきこえたように、オハナがいった。

「正子さんより、世話役さんが先ね。あなたはこんどのできごとの張本人ですもの。みんなと小山へもどって、くわしく報告をすることになるでしょう」

「はい」と、ツクシンボのほうも、あたりまえのように返事をした。

8

オハナのいったとおり、つぎの日のツクシンボは、小山からきたむかえの使者といっしょに、小山へ帰った。さいわい、秋晴れのいい天気だった。

この使者の役をつとめたのは、ツクシンボのいとこにあたるスギノヒコ＝フエフキだった。いまではクマンバチ隊の隊長で、わかい隊員ふたりをつれてきていたが、ツクシンボを見つけると、近よってきてからかった。

「やあ、こんどばかりは、おまえのおてんばが役にたったようだな」

ツクシンボがだまっていると、まじめな顔でいった。

「世話役は喜んでいるよ。おまえもつれて帰れといっていた」

それだけで、さっさと客のほうへいってしまった。ツクシンボは内心ほっとした。いとことといっても、年ははなれているので、いつまでも子どもあつかいされていた。それが、いまはじめて一人前にあつかわれたような気がしたのだった。

三人のチィサコ族の若者たちは、また頭巾をつけて顔をかくしていた。しきたりを破りたくないのだろう。もっとも、あの髪の色は、日にあたると目だつから、かくしたほうがいいかもしれない。

まもなく、一同はそろって詰め所を出発し、小山までいっきにかけぬけた。正午前には小山近くの峠道にかかり、ようやくスピードをゆるめた。フエフキたちは、半日でゆうゆう往復したことになるが、けろりとしていた。

ここでコロボックルの見張りに出会った。いつもは国ざかいにいる見張りも、こんなことがあるとかなり外まででてくる。クマンバチ隊員の見張りは、自分たちの隊長に合図をしていった。

「世話役は三角平地にでています。いずみのところです」

「よし」と、フエフキは元気よくいった。

「では、もうひと走りだ。いこう」

さっと、またみんなは走った――。

その小山の三角平地には、せいたかさんたちの住んでいた小さな家がある。建ててからも二十年近くなるし、人の住まない家は、住んでいるよりいたみやすいというが、手入れがゆきとどいているので、ほとんどかわっていなかった。しかし庭のほうまでは、なかなか手がまわらないようだ。

三角平地の庭には、花だんもつくってあったし、芝生も植えてあった。それが、すこしずつ雑草にまけて、もとの三角平地にもどりかかっていた。せいたかさんは、ここへとまりにくるたびに、せっせと草かりをしたり、たまには小さなエンジンのついた草かり機を借りてきて、きれいにかりはらったりした。だから、いつもさっぱりはしていたものの、いまでは花だんもなくなり、芝生も消えかかって、すっかりあれている。

そのかわり、小山の斜面には、いつのまにかふえたコスモスが、あわい色の花をたくさんさかせていた。そして、山すそのいずみのほとりには、つわぶきのむれがあって、もうすぐまっ黄色のあざやかな花をさかせるはずだ。

世話役は、そのつわぶきの葉の下に、大きな丸テーブルをすえ、山おくからくるという、めずらしい客を待っていた。横には相談役のエノキノヒコ校長先生がいた。あいかわらず太っているが、いまのよび名はセンセイという。ふたりはいすにはすわらず、テーブルのまわりをゆっくり歩きながら、なにか話していた。

いつも地面の下でくらしているためか、コロボックルたちはときどき、こんなふうに日光の下にテーブルをすえ、食べたり話したりするのがすきだ。ただしこの日のように、風のない上天気の日にかぎるのだが。

やがて、フエフキたちがつぎつぎと三角平地へとびこんできた。そこから世話役の前までは、そろそろと歩いてきた。三人の旅の若者は、ここで手ばやく頭巾をとった。先頭のフエフキがその若者たちをふりかえっていった。

「こちらがわしらの代表で、ヒイラギノヒコ世話役、となりは相談役のエノキノヒコ＝センセイ」

世話役がうなずいた。

「よくきてくれたね。わしらの国は、きみたちを心から歓迎する。どうか自分の家に帰ったつもりでいてほしい」

　すると、三人のうち、ツクシンボとはじめに口をきいた若者が――たしかハヤタロウといった――進みでると、自分たち三人の名をつげてあいさつを返した。

「ありがとう。おれたち、むりやりにでも、ここへきてみたかったんです。なにしろ、こんなことがあるとは、思ってもいなかったんで」

「わしも同じ思いだよ」と、世話役はにっこりした。

「むりやりにでも、きてもらいたかったところだ。こんなことがあるとは、わしらも思っていなかったんでね」

　そして、みんなにテーブルへつくようにいった。このとき、ツクシンボもいすにすわるようにいわれ、とまどいながら、相談役とフエフキのあいだに、小さくなってこしをおろした。そこへ、世話役夫人が、数人の女コロボックルの先にたって料理をはこんできた。ツクシンボは、びっくりしていすからとびあがった。

「わたしも、わたしもてつだいます」

「いいのよ」と、夫人はわらって首をふった。

「あなたはじっとしていなさい。食事がおわるまではお客さんのつもりでね」

　しかたなく、またいすにもどったが、なんだかおちつかなかった。

「さ、とにかく、腹がへってはどうにもならない。まず食べてからにしよう」

世話役はそういった。

「ああ、よかった」と、若者のひとりがつぶやいた。

「おれ、腹がへってどうなることかと思っていたんだ」

「ぎょうぎがわるいぞ」と、もうひとりが小声でたしなめた。すると、となりにいたエノキノヒコ＝センセイがききつけて、そっとささやいた。

「いや、かまわんさ。わしも腹がへって目がまわりそうだった」

9

丸テーブルをかこんだ昼食会が、なごやかにおわるまで、小山はほんとうに静かだった。秋の日ざしがいずみにあたり、つわぶきの葉のうらに、水から反射した光がちらちらとゆれて、まるで夢のようだった。

世話役と相談役は、むらさきの髪の毛をもつ若者にかわるがわる話しかけ、いろいろなことをききだした。チィサコ族は五百人ほどで、ふえもしないがへることもなく、長いあいだつづいている種族だという。冬だけは集まって冬ごもりをするが、そのときには族長がみんなをまとめているそうだ。

若者のほうも、あたりを見まわしながら、えんりょなくたずねた。とくに、人間の中に『味方』を持っているというのが、ふしぎでたまらないようだった。

やがて、みんなが満腹になったところで、世話役は相談役と顔を見あわせてうなずきあった。そして、なにかうしろのほうへ合図をした。すると、いずみのほとりには、サワサワとかれ葉のそよぐようなかすかな音がして、たくさんのコロボックルたちが、ゆっくり集まってきたのである。

「みんなが、きみたちと会いたがっているんだ。さ、こっちへきて姿を見せてやってくれないか」

世話役はそういって、〝やぐら石〟のほうへ三人の客をつれていった。〝やぐら石〟というのは、いずみのふちにならんでいる大きな玉石の一つで、この石だけは、しぜんにできた登り道があり、てっぺんが平らになっている。お祭りのときなどは、ここにスクナヒコさまの像をかざったり、ここに立って、おどりの音頭をとったりする。

三人は、やぐら石の上で、めんくらっているようだった。いずみのほとりに集まったコロボックルたちは、男も女も、年よりも子どもも、みんなが三人を見て手をふった。こんなときのコロボックルは、けっして大きな声をあげることはない。しかし、三人の新しいなかまたちを祝福しているのはたしかだった。それは、石の上の三人にもよくわかったのだろう。何度もていねいなおじぎをかえした。

たったそれだけで、またすぐコロボックルたちは、手をふりながらひきあげていった。あとには、二十人ほどのおさない子どもたちがのこり、やぐら石からおりてくる三人を、遠まきにとりかこんだ。と思ったら、勇気のある子が、ひとりふたり、かけよってなにかいった。若者がかがんでそれに答え、みんながうれしそうにわらった。

コロボックル小国は、こうして歓迎のあいさつを送ったのだった。ずっとむかし、せいたかさんがはじめてこの小山にとまりこんだときも、これとよく似たコロボックルのあいさつを受けた。せいたかさんはいまでも、「あのときの、しびれるような感動はよくおぼえている」という。いまの三人も、同じ気持ちでいるにちがいない。

考えてみると、コロボックルにとっては、この『失われていたなかまたち』の発見は、たいへんに大きなできごとだったのだろう。だからこそ、こんなあいさつもしたし、その発見の功労者ツクシンボが、まだほんの小むすめであるにもかかわらず、同じテーブルにつく名誉をあたえられたのだろう。

やがて、みんながそろってコロボックルの城へ向かったとき、世話役はツクシンボを見ていった。

「きみもつかれているようだね。もういいから、帰って休みなさい。ただし、あしたの朝、ちょっと役場まで顔をだしてくれないか」

「はい」と、ツクシンボは返事をしたが、そのままのこってあとかたづけのてつだいをしてから、自分の家に帰った。

でも、まだツクシンボは、のんびりするわけにはいかなかった。まず通信社から顔見知りの記者がきて、いろいろとたずねられた。こちらも通信員なのに、こんどは自分で書かなくてもいいといわれて、ちょっとみょうな気がした。そのあと、クスノヒコ＝エカキがたずねてきた。

「いま、あの三人のすみれ頭の似顔絵をかいてきたところだ」といい、「きみの絵も、もう一まいかかせてほしいんでね」とつけくわえた。

「すみれ頭だなんて、失礼よ」

思わずわらいそうになりながらも、やっとおさえてそういった。するとエカキは、あわてていいわけをした。

「いや、ぼくはわるくちのつもりでいったんではないんだよ。ぼくがすみれのようにきれいな髪だな、といったら、あのなかの、ほらハヤタロウっていったかな、あいつがいったんだ。すみれ頭っていわれるのは、おれたちにとってはほめことばだって」

そして、口といっしょに手も動かし、さっさとスケッチをした。帰りがけにツクシンボの顔と、自分でかいた絵とを見くらべていった。

「きみは、この前のときより、またすこし美人になったよ」

ツクシンボは、もちろんじょうだんだと思ったから、安心してわらった。しかし、エカキはわらいもせずに、「ぼくの場合は、目がいうんじゃない。手がいうんだ」と、よくわからないことをいいのこして帰っていった。

つぎの日の朝、ツクシンボが役場へいってみると、世話役は二つのことをしてくれた。

その一つは、ツクシンボに、いつでも小山をでていっていいという、許可証をくれたことだ。これまでは通信員の資格ででていたのだが、これで、いつ通信員をやめても心配ないことになった。この許可証を持っているものは、それほど多くない。

その二つは、ツクシンボのトモダチ、杉岡正子を、コロボックルの『みんなのトモダチ』に昇格させる、ということだった。正子がチャムちゃんと会えば、コロボックルのひみつをほとんど知ってしまうことになる。人がらも安心できるのがわかっているので、『みんなのトモダチ』にするが、ひきつづき連絡は、ツクシンボひとりにまかせる、というものだった。

第五章　思いがけないこと

1

そのつぎの月曜日は、秋の雨がしっとりとふっていた。ツクシンボは、朝から雨の中をでて正子の家にいった。なんどもいうようだが、図書館の休日は月曜日で、この日はおちついて正子と話ができる。もちろんおかあさんはいるが、正子が休みの日には、安心して買い物にいったり近所の家へ遊びにいったりする。あとは下の茶の間でテレビを見ていてくれる。

このふたりが会わなかったのは、たった三日間だった。ところがそのあいだに、正子のほうにもツクシンボのほうにも、いろいろなことが起こっていて、ふたりとも話したいことがたくさんあった。

正子の話は、チャムちゃんと会ったときのことだ。前日の日曜日、チャムちゃんは昼休みに図書館へやってくると、正子を公園にさそいだしたそうだ。そして、自分はたしかに、せいたかさんのむすめであること、したがって、コロボックルの本の中でおチャメとよばれているのは――正子が察したとおり――まちがいなく自分であることを、あっさりとうちあけてくれたという。

「チャムっていうのも、ほんとうはチャメがなまったものなんですってね。彼女、そういってわらっていたわ」

正子は低い声でゆっくりと話した。どんなにむちゅうになっても、早口になったり声がうわずったり、ということはない。

「でも、うちあけてほっとしたそうよ。コロボックルの世話役さんも、『あの子は――つまりわたしのことだけど――チャムの親友だし、あの四さつの本をみんな読んでいるし、いまではツクシンボのトモダチでもある。もうそろそろ気がついてもいいころだ』って、いってたそうだから」

ツクシンボはだまってうなずいた。正子はにこにこと先をつづけた。

「チャムちゃんはね、わたしがあんな奇跡を受けとめて、びくともしないなんて、ほんとうにすごいって、ほめてくれるのよ。びくともしないどころか、びくびくのしどおしだった、っていっても、相手にしてくれないの」

「むりもないわ」と、ツクシンボはわらった。

「正子さんは、どうしたってびくびくしているようには見えないもの」

「でも、いまだってわたしはそうよ。あなたみたいなふしぎな人とトモダチだなんて、まだ信じられないのね」

そういって、正子はため息をついた。するとツクシンボがいった。

「いやでも信じてもらうわ」

そこでことばをきって、力をこめた。

「だってわたし、おととい世話役さんによばれて、いいわたされたのよ。これからは杉岡正子さんをコロボックルみんなのトモダチにするって」

「……みんなのトモダチって、どういうこと？」

「わたしひとりのトモダチではなくて、コロボックル全体のトモダチっていう意味よ。といっても、みんなでぞろぞろやってくるわけではないの。わたしがだれかをつれてくることは、あるかもしれないけど。つまり、そんなことも、これからはできるっていうこと」

そういってツクシンボは、ちょっと肩をすくめた。

「どんなひみつだろうと、話していいことになるのよ。いままでよりずっと気がらくになるわ。チャムちゃんのことだって、もうしゃべっていいんだけれど、その前に正子さんは、自分で気がついてしまったから……」

正子は、しばらくだまってツクシンボを見つめていた。それからつぶやいた。

「なんだか、とてもうれしいわ。わたしみたいなものを、そんなふうにしてくれるなんて」

「わたしも」と、ツクシンボはいった。

「せいたかさん一家は、いわばコロボックル小国の名誉市民だからべつとして、『みんなのトモダチ』とみとめられた人は、何人もいないの。おかげでわたしも鼻が高いわ」

　そして、ツクシンボは、小さな小さな指を折ってかぞえた。

「一、二、三人……四人。あなたはたしか四人めよ」

「そう」と、正子はひどく気のない返事をした。しかし、こんなときの正子を、見かけどおりに受けとってはいけない。ほんとうは強く心を動かされているのだ。

「その人たちのこと、きいてもいいかしら」

「もちろんいいわよ。だけどわたしもあまり知らないの。会ったことがあるのは、ひとりだけだもの」

　そう答えて、ツクシンボはくすっとわらった。

「あの本の中に、おチャ公っていう少年がでてきたでしょう。ほら、電器屋のむすこで、いたずらぼうずで」

「ええ、ええ」

「あのおチャ公が——といっても、いまは大学生で、たぶん来年あたり卒業だと思うけど、この人がやっぱり『みんなのトモダチ』なの」

正子はだまっていた。自分がふいに、本の中の世界にすいこまれていくような、みょうな気がしたのだった。ツクシンボはおもしろそうに話した。

「チャムちゃんの弟のムックリくんと、その人とはなかよしだってきいたわ。大学生と小学生なのに、ふたりともおもちゃの汽車を走らせるのが大すきなんだって。もっとくわしいことが知りたければ、ムックリくんをつかまえてきくといいわ」

「そうね。どうもありがとう」

正子はすなおにうなずいた。

このあと、こんどはツクシンボがひとりでおしゃべりをした。密航者の旅で、思いもかけない新しいなかまと出会った話だった。正子はいつもの聞き上手にもどって、ツクシンボの冒険談をきいた。とくに、自分が子どものころ見た小さな守り神は、もしかしたら、このなかまのひとりだったかもしれないといわれたときは、うれしそうににっこりした。

2

ツクシンボが見つけてきた、新しいなかま、チィサコ族の若者三人は、しばらくコロボックルの国ですごした。

三人ともじっとしているのがきらいで、クマンバチ隊の見張り所をのぞいたり、マメイヌ隊にやってきて、マメイヌの訓練をながめたりした。といっても、イヌについてはチィサコ族でも早くから飼いならしているそうで、よく知っていた。ただし、マメイヌといわずにツブイヌというそうだ。毛の色や顔つきもすこしちがうという。

コロボックルのなかでも、いちばんの長老で、歴史学者でもあるウメノヒコ＝ツムジイは、有名な〝どびんの家〟――ツムジイはすてられたどびんに住んでいる――に三人をまねいて話をきいた。

ツムジイの家には、一番弟子のクヌギノヒコ＝ノッポがいて、くわしい記録をとった。このコロボックルは、ツムジイが見こんで自分のあとつぎにしただけあって、わかいながらすぐれた学者である。よび名のとおり、コロボックルとしては背が高い。

そのときの話しあいでおもしろいことがわかった。なんでも古い文書に、『すみれの髪の旅人』とか、『すみれ住む里』などということばのでてくるものがあり、これまでは意味がよくわからなかったのだが、たぶんこれは、チィサコ族のことだろうというものだ。

クスノヒコ＝エカキもいっていたように、チィサコ族には自分たちを『すみれ頭』とよぶならわしがあり、きれいなむらさき色の髪は、じまんのたねになるという。三人の若者は、この『すみれの髪の旅人』といういいまわしがすっかり気にいって、そののちも「おれたちすみれの髪の旅人としては」などと使って得意になっていた。

冬ごもりで集まるあいだは、三人とも大工仕事をひき受けているのだそうで、ひとわたりコロボックルの国を見てまわったあとは、ヒノキノヒコ＝トギヤ棟梁の仕事場が、すっかり気にいってしまった。棟梁の腕には感心したようで、はじめはだまって見ているだけだったが、まもなく熱心に質問をするようになり、やがて棟梁にすすめられて、手をだすようになった。

仕事場には、もちろんクスノヒコ＝エカキもいる。同じ仕事のなかまという気やすさから、四人はたちまちなかよくなり、えんりょもなくなった。そこでエカキは、三人の正直な考えをいろいろときいてみたのである。

　コロボックルの国へきて、この三人がおどろいたのは、第一に、電気を使っていることだったらしい。味方の人間から学びとったものだときくと、いっそうおどろいたようだった。また、テレパシー＝ラジオにもびっくりしたという。これはわずか一キロメートルくらいしかとどかないのだが、近距離の連絡にはたいへん役にたつ。

　そして、もっともっとおどろいたのが『空とぶ機械』だった。おどろくというよりは、あきれていた、といったほうがいいかもしれない。

　空をとびたいという願いは、チィサコ族も持ちつづけていて、コロボックルと同じように、風にのるのはじょうずだという。しかし、飛行機はもっていない。そのかわりに鳥の背にのるのだそうだ。これは飛行機とちがって、乗り手のいきたいほうへ鳥がとぶとはかぎらない、という欠点があり、コロボックルたちは遊びのほかにはのらない。

　ところが、チィサコ族は、あおじという小がらな鳥を飼いならして、すきなときに命令どおりとばすという。エカキがくわしくたずねてみたところでは、どうやら催眠術のようなものを小鳥にかけるらしい。さすがにこれは、だれにでもできるというわけではないようで、そのために修業をつんだものが、鳥にのる仕事についているという。そのチィサコを『鳥飼い』というそうだ。

『コロボックル通信』という新聞があったのも、かなりおどろいたようだった。自分たちのことが書かれていて、一度にみんなが知ってしまうし、記録としてものこっていく。まさか、印刷工場まで持っているとは思わなかった、という。

三人のチィサコ族の若者たちは、コロボックル小国の進んだ姿を知って、いくらかとまどいながらも、たしかに感心していた。しかし、なにからなにまですっかり感心したというわけではない。エカキには、こんなふうに意見をのべた。

「どれもこれも、すばらしいとは思うんだが、おれたちの山ぐらしには、あわないような気がするな。たとえば、ラジオでも山では使いにくい。なにかよくわからないが、電波をだすしかけがなくてはいけないようだし、それには、電気のもとがいるだろう。電池っていったかな。あれが手にはいらなくては、どうにもならん」

そして、むかしながらの山ぐらしも、なかなかいいもんだよ、とつけくわえてむねをはった。ただ、空とぶ機械のオーニソプターには、若者らしく気をひかれたようすで、一度あれをつけてとんでみたいといった。

エカキが、フエフキをとおして世話役にそのことを知らせたところ、世話役はさっそく、クマンバチ隊の飛行隊員に命じて、その望みをかなえてやった。身の軽さでは

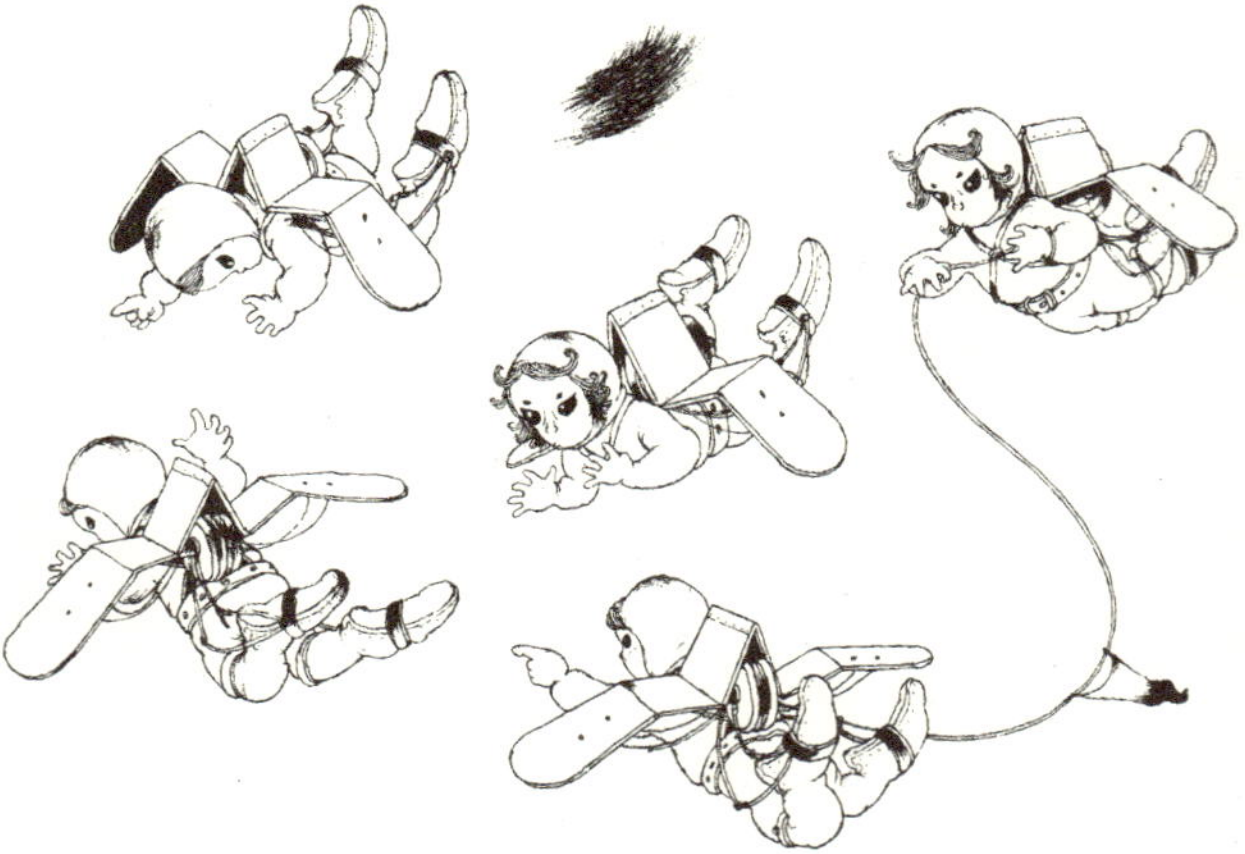

まけない若者たちは、たちまち上達して、自由に小山の空をとびまわった。
こうして、きゅうに秋が深まり、チィサコ族の『すみれの髪の旅人たち』は、そわそわしてきた。山は冬が早いから、そろそろ冬ごもりのために、みんなが集まりはじめるころだという。
「今年はおれたちも早く帰って、このことを報告しなくちゃならん。みんなおどろくだろうな」
そういって目をかがやかすのだった。世話役は、そんな若者たちをよび、「コロボックルを三人ほど、使者として同行させたいがどうか」といった。三人がすなおに承知してくれたので、すぐにその使者がえらばれた。

まずクマンバチ隊長のスギノヒコ＝フエフキ。はじめから若者たちのめんどうをみてきたし、世話役の代理としてでかけるのには、もっともふさわしいコロボックルだろう。つぎが、ツムジイの一番弟子、クヌギノヒコ＝ノッポ。新しいなかまたちのくらしぶりを見てくるには、このコロボックルをいかせるにかぎる。そしてもうひとりは、クスノヒコ＝エカキだった。

「あれは、絵がうまい。つれていけばなにかと役にたつだろう」

世話役はそういってきめた。そして、コロボックル小国からチィサコ族へ、贈り物があった。いくつかの小さな包みにわけてあったが、一つに組み立てると新品のオーニソプターになる。

若者たちも、トギヤの棟梁の仕事場に、おきみやげをのこしていった。いつつくったのか、みごとな木彫りの人形が一つあった。この人形の顔を見たとき、トギヤの棟梁は大きな声をあげた。

「こりゃ、あの子だ。あの、ツクシンボそっくりだ」

3

そのころの日曜日、杉岡正子は図書館の司書室にいて、日曜日の午前中にきめられている仕事をしていた。司書室には正子ひとりしかいなかった。

毎週この時間には、一週間分の新聞から、アパッチ先生がしるしをつけた記事をきりぬいて、スクラップブックにはりつけるのである。正子のすきな仕事で、楽しみながらかたづけていた。そこへ、アパッチ先生がはいってきて、正子の肩をポンとたたいた。

「きみ、ちょっと話があるんだけどね」

「はい」と、正子は手をとめてはさみをはなすと、立ちあがった。アパッチ先生は自分のつくえについて、正子を手まねきした。

「きみ、今月の末から、しばらく大学へかよわないか」

なにをいわれたのか、正子にはよくわからなかった。そこでたずねてみた。

「あの、どういうことでしょうか」

「いや、つまりね、大学ではじまる講習に、でてみないかっていってるわけよ。司書補の資格をとるための講習でね。思いきっていってみないかな。地元の大学だから、ここからは近いし」

「わたしが、シショホ？」

「そう。いきなり司書にはなれないんでね。はじめは司書補、まあ司書の見習いだね。講習を受けて単位がとれれば、資格がもらえるよ」

アパッチ先生は、つくえのひきだしをあけて、大きなふうとうをとりだした。

「きみはきっといい司書になれるよ。司書補を二年やれば、司書になる講習も受けられる。館長さんも喜んで推薦してくださるそうだから、受講料もいらない。ただし交通費だけは自分持ち」

はあっと、正子はため息とも返事ともつかない声をあげた。それだけで、あとはなにもいわなかった。ただぼうっとしていたのだが、アパッチ先生は、正子が考えこんでいると思ったようだった。

「このふうとうにパンフレットがはいってる。くわしいことが書いてあるから、よく読んで考えなさい。講習は毎年あるんで、あわてなくてもいいんだけどね。きみの場合は早いほうがいいだろうと思ったのさ。申込書もこれにはいっているからね」

いいながら、正子にふうとうをわたした。

「講義はたしか、火、水、木曜の午後、二時か三時ごろからだったと思うよ。もちろん館長の推薦でかようんだから、これも仕事のうちと思って、でかけるんだね」

「でも、それだと、児童室がこまることになりませんか」

正子が目をあげてそういうと、アパッチ先生は、顔の前で手をひらひらさせた。

「かまわないよ。わたしもあまり外へでないようにしようと思っているところでね。きみのいない日はしっかりるすばんをするから」

「そうですか」と、正子はまじめにうなずいた。これではどちらが主任さんだかわからないが、すぐに正子は頭をさげていった。

「では、お願いします。わたしも勉強したいと思います」

「そう、それならきめた。いいね、がんばってよ」

ほっとしたようにいって、アパッチ先生は立ちあがった。真正面からじっと自分を見つめている正子の顔を見て、ふと思った。

（おや、この子、あんがいかわいい顔をしているんだね。ちょっと髪型をかえたほうがいいのに。すこしお化粧のしかたも教えてやらなくちゃいけないかな）

そんなこととは知らない正子は、まだなりゆきがよくのみこめず、もう一度ぺこりと頭をさげて、自分の席へもどった。アパッチ先生のほうは、そのまま部屋をでて、館長室へいった。

ところが、思いがけないことというのは、おりかさなって起こることが多い。正子にとって、アパッチ先生の話が一つめで、二つめは午後の三時ごろに起こった。

この日はアパッチ先生もずっといっしょで、子どもたちの相手をしていたので、正子はエプロンをつけて、本だなの整頓をしていた。その正子の背中を、うしろからつっつくものがあった。ふりむくと、ムックリくんがにこにこしていて、こんなことをささやいた。

「杉岡先生、ちょっときてよ。先生に会わせたい人がきてるんだ」

「だれなの。あなたのお友だち？」

手を休めずにきいてみると、ムックリくんは正子の腕をひっぱった。

「外にいるんだ」

「外って、なんではいってこないの」

「だって、はいれないんだもん」

そういってムックリくんは、にやっとした。

「時間もないんだって。だから、ちょっときてよ」

なにがなんだかわからないままに、それでもおちついた足どりで、正子はムックリくんのいうとおり、建物から外へでた。ムックリくんは先にたって門から走りでた。どうやらその人は門の外にいるらしい。正子が門から顔だけだして見ると、小さな軽自動車のトラックが、ウインカーランプをちかちかさせたままとまっていた。その横で、ムックリくんが正子を手まねきしていた。

しかたなく、正子がゆっくり近づいていくと、運転台のドアがあいて、中からがっしりした青年がおりてきた。正子の知らない人だった。その青年は、ちびの正子に向かってまっすぐに立ち、折りめ正しくぱっとおじぎをした。そして名のった。

「ぼく、おチャ公です。ほんとうはイサオっていうんですけどね」

4

おチャ公のイサオは、頭をかきながら、ムックリくんを指さしていった。

「この子が、きょうぼくの家へ遊びにきていましてね。それでいま、車で送ってきたところなんですが、どうしてもここへより道して、きみと会っていけって、きかないもんだから。むりをいってすみません。車は門内にはいれないし、この道にも長いあいだとめておくわけにはいかないので」

そのとおり、門の横には『車の無断進入を禁じます』と書いたふだが立ててある。

「きみは、おチャメの友だちだそうですね。あのおチャメっていう子は、むかしから人を見る目があったんです。きみを友だちにしていたというのは、さすがだと思うね」

正子はぼんやりしていた。なにか答えなければと思ったが、なにをどういっていいかわからずに、ただうなずいていた。こんな不意打ちにあえば、正子でなくたってうろたえるにちがいない。本で読んだおチャ公の少年時代と、ツクシンボからちらりときいた話から、正子はもっと子どもっぽい人かと思っていたのだが、目の前のイサオはずっとおとなに見えた。それでいっそう口がきけなかったのだが——。

イサオのほうも、うろたえているのは同じだった。ムックリくんにせがまれて、うかうかとここまできてしまったが、相手の正子をひと目見たとき、へんにかわいい人だな、と思った。それですっかりあがってしまい、自分がなにをいっているのか、自分でもよくわかっていなかった。

　もともと明るいたちなので、なんとかごまかしてはいたものの、相手がきらきらするような目で、じっと見つめていると思うと、そわそわとおちつかなかった。イサオは、えへん、とせきばらいをしていった。

「いつかきみも、ぼくの家のほうへきませんか。この図書館だって、祝祭日は休みでしょう。こんどの祭日はどうです。ぼくの町を案内しますよ」

　正子はだまって首をかしげた。いっぽうは明るくしゃべり、いっぽうはなにもいわずに、ただきいているだけだった。そんなふたりを、ムックリくんはおもしろそうに見くらべていたが、やがて、ひとりでさっさと、車の助手台にのりこんでしまった。

　それを見たイサオも車へもどりかけたが、ふとその足をとめていった。

「そうだ、ぼくの家の電話を教えておかなくちゃいけないな。ちょっと待って」

　そのまま、運転台にまわっていって、ごそごそさがしていたが、どこからか、一枚の名刺をとりだしてきた。店の名前が大きくまん中にあり、イサオのおとうさんの名前らしいのが、小さく横に印刷されている。

「ほら、これをあげておきますよ。電話をくれれば、駅までむかえにいくから」

　正子はうなずいた。そして、ようやくひとことだけいった。

「どうもありがとう」

それでイサオは、ほっとしたようににっこりすると運転台にもどった。ムックリくんが、「さようならあ」と大きな声をあげて手をふった。

ガリガリガリ、ブルブルブルンと、ひどい音をたててエンジンがかかり、イサオは道に立っている正子にかるく頭をさげた。正子はあわてておじぎを返した。ゆっくりと車が走りだし、うす青いけむりをはきながら坂道をおりていった。そのおんぼろ軽トラックを見送っていると、正子の心の中はみょうにあたたかくなった。小さくなっていく車に向かって、正子は思わず手をあげた。

そのあと、大いそぎで正子は児童室へもどった。ほんの五分ほどしかたっていなかったが、なんとなく正子は、いまのことはきっと、いつまでもおぼえているだろうな、と思った。それっきりで、あとはまた仕事に追われ、もうなにも考えなかった。日曜日は子どもたちもいれかわりたちかわりやってくるので、アパッチ先生とふたりいても、なかなかいそがしかった。

正子は、自分からイサオには電話をしなかった。こちらからかけなくては、わるいかなあと思いながらも、その勇気がなくてついそのままになっていた。ところが、休みの前になると、イサオのほうから正子の家に電話があった。

正子ひとりでは気が重いだろうから、チャムちゃん、ムックリくんの姉弟にも声をかけてある、ぜひいっしょに遊びにきてほしい、ということだった。そこで正子がチャムちゃんに電話してみると、こんな返事だった。

「あなたとイサオさんが親しくなるのは、わたしも弟も、それからあの人たちも大賛成なの。だから一回だけつきあってあげることにしたのよ」

そういってチャムちゃんは、電話の向こうでうれしそうにわらっていた。でも、正子の知らないところで、チャムちゃんはイサオに向かって、はっきりくぎをさしてあった。

「杉岡さんっていう人は、わたしにとっても小さな人たちにとっても、たいせつな人ですからね。そのことはわすれないでね」

「もちろん、わかっている」

イサオはそのときも、年下のチャムちゃんにたいして、おとなしくまじめにそう答えたという。

こうして、正子はイサオと出会った。まず、おチャメことチャムちゃんと出会い、その弟のムックリくんと出会い、そのおかげでスギノヒメ＝ツクシンボと出会って、とうとうこのイサオまでたどりついた。そして正子は、はじめにちらっと思ったとおり、イサオと顔をあわせた日曜日の午後の、五分たらずのできごとは、その後もずっとわすれることがなかった。というわけは——。

5

もったいぶらずにうちあけてしまうと、それから数年あとに、このふたりはまわりの人々に祝福されて結婚することになるからである。このふたりのことは、もうすこし追ってみたい気もするが、たぶん当人たちはのぞまないだろうと思う。ごくふつうに、まともにくらしていくはずだし、そのくらしの中で、それなりに幸せを見つけていくにちがいない。それに、なんといってもこのふたりには、うしろにコロボックルがついている。いざというときには、きっと力になってくれるはずだ。

コロボックルといえば、スギノヒメ＝ツクシンボも、ここまでにいろいろな出会いを味わった。

まずオハナと知り合って、チャムちゃん、ムックリくんの姉弟に近づき、それが杉

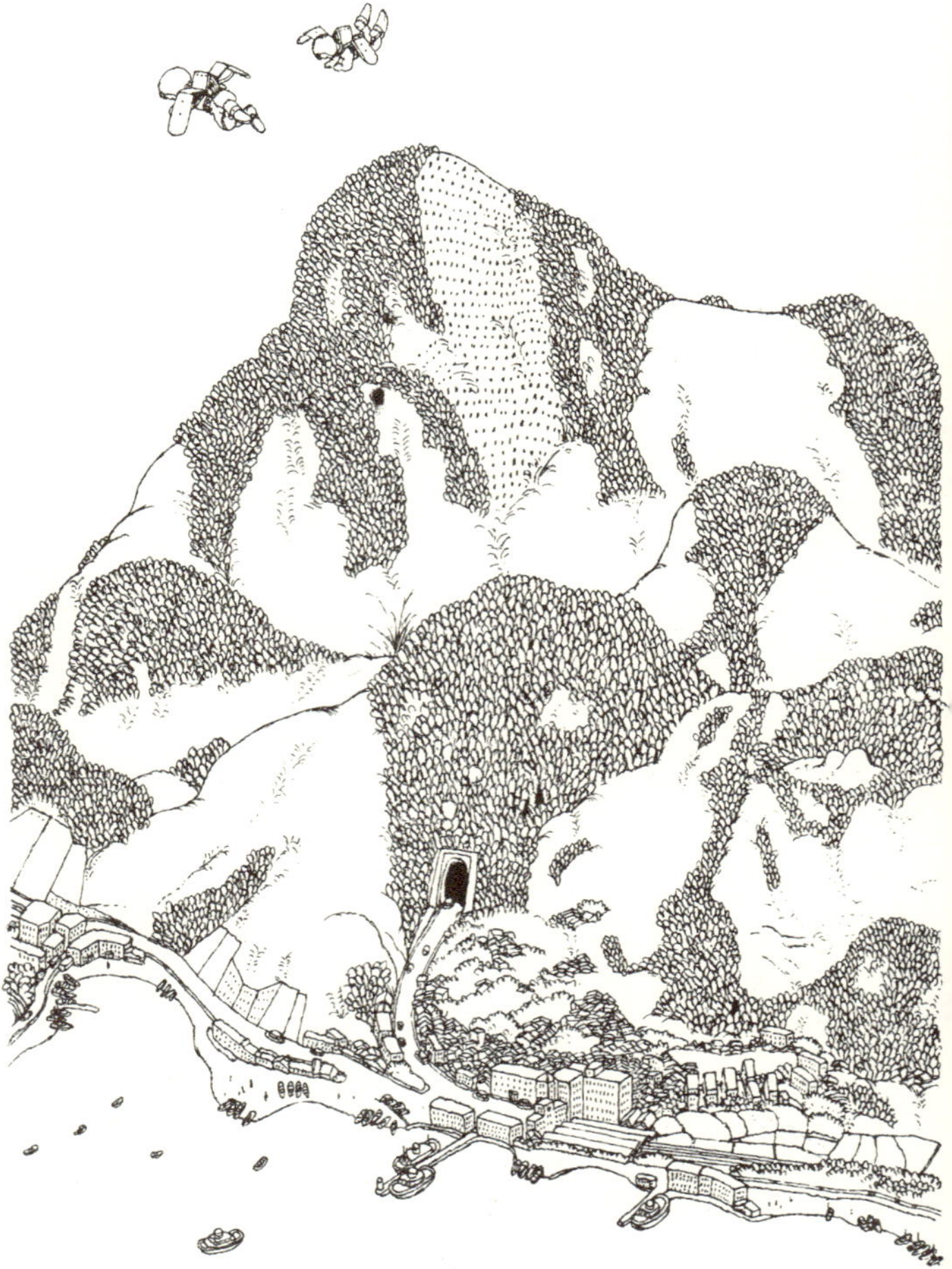

岡正子と会うきっかけになった。正子と出会ったおかげで、ヒノキノヒコ＝トギヤの棟梁とも知り合ったし、その弟子のクスノヒコ＝エカキとも友だちになった。そして、なによりもあの旅先で、それまで見失われていたなかま、チィサコ族と出会った。これはコロボックル小国にとっても、大きな出会いだったといえる。

旅行家をめざしているツクシンボのこれからも、ぜひ追いかけてみたいとは思うのだが、ツクシンボにしてみると、自分の旅行記は自分で書きたいだろう。よけいなことはしないほうがよさそうである。

コロボックルたちも、もう自分たちの本を、これ以上世に送りだすつもりはないという。

「これでもう、知らせておいたほうがいいと思ったことは、みんな知らせたのでね」

ヒイラギノヒコ世話役も、そういっていたそうだし、せいたかさんも同じ考えだといっていた。

たしかに、そのとおりかもしれないという気がする。ここから先をつづけようとすれば、モチノヒコ老人のいっていたような、「ほんとうのことを、まるで作り話のように書く」のは、かなりむずかしくなりそうだ。どうかすると、「作り話のくせに、まるでほんとうのように書いている」なんて、けなされることにもなりかねない。

それにしても、チィサコ族とコロボックルたちが、これからどんなつきあいをしていくのか、たいへん気になる。そこで、ほんのすこしだけ、つけくわえておくことにしたい。

この二つの種族は、たがいに行き来をするようになった。つまり、夏にはチィサコの若者やむすめたちが、コロボックル小国へやってきたし、コロボックルの若者たちも、チィサコの冬ごもりの山へ、遊びにいったりした。しかし、どちらかというと、コロボックルたちは自分の小山からはなれたがらず、チィサコのほうからやってくることが多かった。

そして、ときにはコロボックルの若者とチィサコのむすめ、またはチィサコの若者とコロボックルのむすめの組み合わせが生まれて、めでたく結婚することもあった。しかし、この二種族は、助けあいながらも、大ざっぱにいってまじりあうことはなく、それぞれのくらしかたをまもっていくことになるだろうと思う。

さて、コロボックル物語のほうは、これでおしまいだが、コロボックル小国は、これからも末長く栄えていくにちがいない。したがって、作者としてもすっかり縁をきってしまうわけにはいかない。別格とはいえ、コロボックルの『みんなのトモダチ』のひとりとして、できるものなら物語のほかに、コロボックルのその後の消息を、すこしずつせいたかさんからききだして、なんとか世間につたえていきたいと思っている。もちろんこれは、コロボックル物語とはべつで、もっとずっと短いきれぎれの話になってしまうだろうが。たぶん世話役のヒイラギノヒコも、このくらいはゆるしてくれそうな気がする。

完

あとがき――その1――

コロボックル物語の第一巻『だれも知らない小さな国』を書きあげたのが、昭和三十三（一九五八）年の暮れ、それをタイプ印刷によって自費出版したのは、翌三十四年の春だった。この私家版が、幸運にも講談社の曾我四郎氏（当時の児童図書出版部長）の目にとまって、同年の七月末には単行本にしていただいた。それからすでに二十四年がすぎている。

わたしは児童文学の読者のサイクル、ということをよく考える。少年少女時代に、ある作品と出会った一読者が、やがて人の親となり、自分の子どもに同じ作品をえらぶことができるようになるまでが一サイクルで、およそ四半世紀、二十五年くらいはかかるにちがいない、というものだ。

第一巻については、そのサイクルがようやくめぐってこようとしているとき、やっと締めくくりの第五巻ができた。コロボックル物語としては、これからあらためて新しいサイクルに立ち向かうこと

になる。作者の手をはなれた作品は、かってに一人歩きをはじめるので、作者もただ眺めているだけである。

そうした先のことはともかくとして、これまでの長い時を、コロボックルという愛すべき魔ものにとりつかれたまま、生きて楽しんでこられたのは、まことにありがたかった。こればかりは作者の特権だろうと思う。

＊

この本の作中でもふれたが、はじめは一さつだけと思って書き、それがひきずられるように第二巻『豆つぶほどの小さないぬ』、第三巻『星からおちた小さな人』と続いて、これでいちおうの完結とするつもりだった。ところが、まもなくそれまでの物語背景とはいくらか視点をずらしたところで、続編を書いてみたくなり、第四巻『ふしぎな目をした男の子』が生まれた。

第一巻を、物語全体の『起』の部分とすれば、第二、第三巻は『承』の部分にあたるようである。第三巻が完結編になれなかったのは、そんな性格があったからかもしれない。そして、この第四巻は『転』の部分にあたる。

　となると、作者としても『結』になるはずの第五巻がほしくなり、じつは数年前に一度手をつけた。しかし、そのときは百枚足らずを書いたところで筆をとめた。ひと口にいって機が熟していなかったのだろう。読者からは、続編を望む催促状のような手紙がしきりと舞いこみ、机上に山をつくるようになった。またその手紙の多くは、物語に登場していた人物たちの、その後の消息を熱心にたずねていた。だからこの第五巻は、それらの手紙に答える返事を兼ねている。

＊

　第四巻のあとがきに、いずれはコロボックルの短編集を、コロボックル物語に加える心づもりでいる旨を記したのだが、これはいまだに果たしていない。完結編がでてしまった以上、これは御破算と思われるかもしれないが、作者はまだその気持ちをすててはいない。いつか番外編としてまとめられたらいいと考えている。

　しかし、これまでにいくつか書いた短編のうち、『百万人にひとり』という作から第四巻が生まれ、そして『ヘンな子』という作をもとにして、この第五巻が生まれている。

　わたしには自作の短編を眺めているうちに、その世界をより広く、よりこまやかに展開してみたくなるくせがあるようで、この場合もそんな思いのつのった結果である。

　こんなときは、短編のほうをすてたほうがいいのかもしれないが、すでに活字になっていることでもあり、またべつの味もあるかと考えて、とりあえずはそのままにしてある。だが、もしも今後にコロボックル物語の番外編として、短編集がでるようなことがあれば、少なくともこの二作ははずされることになるだろう。

*

　末筆になってしまったが、最後までさしえでおつき合いくださった村上勉氏には、心からお礼を申しあげる。

　昭和五十八年八月

佐藤さとる

あとがき――その2――小さな本になって

文庫版第四巻のあとがきに、「コロボックル物語の既刊四冊は、本編を以てすべて文庫に収まった」と書いた。嬉しいことに、それと同じ言葉を再び記す運びとなった。

四巻と五巻とのあいだは、十二年もあいている。完結編という使命を担ったこの第五巻は、作者としてもおいそれと手をつけるわけにいかず、時の熟すのを待っているうちに、うかうかとそんな年月が過ぎてしまった。ようやく機会にめぐまれて、出来上がったのが昭和五十八年、そして今回文庫にはいって、この長い物語が小型本でも全巻そろうことになった。あらためて、読み継いでくださった多くの読者と、担当していただいた編集のかたがたに深く感謝する。

なお、『コロボックル物語』はこれで終わったが、わが愛すべきコロボックルとは、まだ縁が切れていない。別の形の物語(別巻『小さな人のむかしの話』)の中で、また会うことになりそうである。

昭和六十二年十月　　佐藤さとる

あとがき――その3――

児童図書の場合、巻末に「あとがき」をつける慣わしがある。私が編集者をしていたころ――ずいぶん前だが――には、すでにそのようなことが行われていたから、かなり古い慣行にちがいない。その「あとがき」になにを書くか、というのは著者の裁量に任されていたようで、指示したこともないし、されたこともない。

私の場合は、物語の世界から立ち戻ったばかりの読者が、ここでほっと一息つくような、その作品についての作者の感想めいた小文を、思いつくままに自由に書いた。

その「あとがき」は、同じ本でも、改版、改装、改判（文庫判などへ）になるたびに書いた。同じことを書いてもつまらないので、そのつど思いつくままに書いてきたのだが、このたびの再文庫化に当たっては、そのようにして書かれた「あとがき」を、すべて収録する、という編集部の意向で、巻によっては「あとがき」がいくつも並ぶことになった。

書き手の私も、いつなにを書いたかすでに忘れているし、こうしていちどに読むというのはめったにない。それにしても、並んでいる「あとがき」の一貫性のなさには、半ばあきれながらも、そんなチグハグぶりがなんともおかしく、一人で無責任に楽しんだ。

さて、『コロボックル物語』も、本筋はこの第五巻で完結する。これを書いてしまえば終りになる、というのはおよそわかっていたので、後回しにしていたようなところもあったのだが、第四巻から第五巻が出るまで、十二年も空いている。そのあいだに一度とりかかったものの、うまくいかずに筆を止めていたものだった。

それを仕上げるよう、強く奨めてくれた人がある。金沢千秋さんというその方には、ここであらためてお礼を述べたい。

金沢さんは新卒で講談社にはいり、児童図書出版部に配属されてすぐに私の担当になった。そのままこの人は児童図書出版部長に就任するまで、ずっと担当を続けてくれた。こういうのもかなり珍しいことかと思うが、あるときその金沢千秋さんが、コロボックル物語の完結篇を仕上げて、それを含めた「佐藤さとるファンタジー全集」を出しましょう、という提案をした。つまり私が書かなければこの企画は流れるわけで、これは私も重い腰を上げるほかはなかった。

振返ってみると、この第五巻は機が熟していて、手許にころがり落ちてくるようにしてできあがった。作者のくせに私は気づいていなかったのだが、金沢さんは、多分そんな時機を見計らっていたのではなかろうかと思う。そしてこういうのを「鞭撻《べんたつ》」というのだろうと、当時も思ったしいまも思う。この人がいなければ、コロボックル物語は未完のままだったかもしれない。

平成二十三年十月

佐藤さとる

解説

佐藤多佳子

『だれも知らない小さな国』を最初に読んだのは、確か小学校高学年の頃だ。コロボックルの住まいである小山、少年時代のせいたかさんが見つけた、つばきの木のある三角平地に、激しくあこがれた。私は、東京の真ん中のとても自然の貧相な土地で育った。自然の豊かな土地で育った友人が、実際に近所の山にあの三角平地とそっくりな場所を見つけて、コロボックルをさがしまくったと聞いて、ものすごくうらやましかった。

子どもの頃から今に至るまで、本というのは、私にとって、「行くことのできる場所」、「ここではないどこか」だ。読書することは、旅に出るようなもので、滞在し、大好きな友人（登場人物）に会い、遊び、冒険やら事件やらにあたふたわくわくし、大満足して帰ってくる。そんな本が一番好きだった。

つまり、どんな本でも、そこに「行ける」わけではない。正確な言葉で描写された魅力的な舞台が必要だし、いつも会いたいと思えるような人物がいなくてはならない。

中学高校時代、私は外国の児童文学の翻訳ばかりを読んでいた。古典的名作などのオトナの本は楽しい「行き先」ではなく、まじめで暗いテーマを好む日本の児童文学の大半もそうだった。

超のつく本好きで、小学校の頃から読むだけではあきたりずに物語らしきものを作り、卒業文集に将来は童話作家になりたいと書いた私だが、中学三年の時の選択授業で、百枚のファンタジーを完結させた。そして、先生に、なぜ、登場人物が全員カタカナの外国名なのかと疑問を呈され、愕然とした。自分は日本人なので日本の物語を書かなければいけないのだと、初めてその時気づいたのだ。日本人を主人公にし、日本を舞台にした物語を書くことがまったくイメージできなかった。なぜ、自分は日本人でイギリス人ではないのかと、真剣にうらみに思った。

そんな時に、コロボックル・シリーズに再度出会った。日本を舞台にした、日本人の物語で、日本のすばらしい小人たちが活躍する……。この本たちがあったではないか！　胸がしめつけられるほど行ってみたい場所は、海の彼方の外国の島や湖ではなく、自分の住む町と地続きの日本の山野だ。会いたい人たち、せいたかさんやママ先生やおチャメさんやおチャ公、そして、コロボックルのみんなは、まぎれもない日本生まれだ。

　この時見いだした光明と喜びは、なかなか理解されづらいかもしれない。ただ、当時の私にとって、物語世界の中に出かけて、もうそのまま居続けたいと思うような日本の本は、ほかにはなかったのだ。唯一無二。圧倒的な魅力があった。


　幼稚園の時から好きだった赤んぼ大将シリーズを別として、佐藤さとるさんの作品は、どれも、ただ読むだけでなく、自分が書くということと分かちがたく結びついている。大げさに聞こえるとは思うが、高校時代からずっと、読むことと書くことと生きることは、私にとって、ひとつながりのものだった。好きな本に出会うこと、そのような作品を書こうとすることが、そのまま生きる喜びだった。

　高校時代、佐藤さとるさんの全作品を読み、お手本をなぞるように、できるかぎり似ている物語を書こうとしていた。全ての作品が大好きだった。文章、登場人物、物語の世界観、何もかもが好きで、深くあこがれていた。

　十代の頃の私にとって、世の中は受け入れられないことで満ちていた。あれもこれも否定し拒否することで、かろうじて自己を保っていた。なんで、あんなに人の言動に絶望するのか、世の中の仕組みに腹が立つのか、ささいなことで心が折れて傷つくのか、今となっては不思議議である。それでも、許せないものは許せないと断言して、偽りのない美しい何かを切望していた。

その数少ない一つが、佐藤さとるさんの本だった。コロボックルの挿絵をコピーして下敷きにはさみ、持ち歩いていた。まさに、それは、お守りであり、なぐさめであり、道しるべだった。

今回、コロボックル・シリーズを全巻通して一気に読み直して、改めて、その世界観の美しさにうたれた。先ほど書いた、偽りのない美しさが、ごくごく自然に存在する。これは、佐藤さとるさんの全作品に共通するもののように思うし、言葉で説明するのがむずかしい。

光のようなものなのだ。

人間を、人生を、世界を、素直に肯定できるようになる、清らかなまっすぐな光だ。

意図して作品に持ち込めるようなものではないと思う。かといって、作者の人柄と言ってしまうのも簡単すぎる気がする。

　風景描写一つとっても、作者が世界を見る目の緻密さ、やわらかさ、みずみずしさにうたれる。町並みの説明を読んでいくだけで、なんともほっとするような、のびやかな気持ちになれる。

　人とコロボックルのつながり、コロボックルとコロボックルのつながり、人と人とのつながり、そのコミュニケーションは、シリーズの重要な主題だが、実にナチュラルに描かれている。深い信頼、大きな好意はあるけれど、安易な依存はない。おセンチなところも、大げさなところも、まったくない。

　私は『星からおちた小さな人』が、特に好きなのだが、コロボックルのミツバチ坊やと彼をたまたまつかまえた少年のおチャ公の交流がすばらしい。珍しい生き物を売ってお小遣いかせぎをしようとする、およそおセンチでないワンパク少年が、だんだん、その正体不明の小さな人を好きになっていく。つかまえられているくせに、その少年になんとなく好意を持っていくミツバチ坊や。その気持ちの変化が、実にさらりとリアルに描かれる。最後に成立するささやかな友情には、ありったけの拍手を送りたくなる。そして、ミツバチ坊やの解放のお膳立てをしたのが、大人のせいたかさんでなく、その娘の小さなおチャメさんというところが最高だ。

「……おれはおまえのいうとおり、この小さな人をにがしてやるつもりだ。だけどそのまえに、この小さな人がどこからきたのか、どんな人なのか、教えてくれないか」

おチャメさんは、大きな目でおチャ公を見かえした。つまりおチャ公は、きびしく、はげしく、ことわられたのだ。（本文引用）

六年生のがき大将が、二年生の女の子にたじたじとなってしまう。ラストで、この二人が真っ赤な夕日を浴びて並んでいるシーンは、胸がしびれるほど美しい。

そう、美しい世界なのだ。偽りのない、限りなく優しく、厳しくもある、ある意味、本物の世界以上に本物の物語世界だ。

さて、本書の『小さな国のつづきの話』は、シリーズ完結編となる五作目の物語だ。大学生に成長したおチャメさんとおチャ公も登場するのはうれしいかぎり。人間の主人公は、ヘンな子と呼ばれ続ける、一見無愛想な正子だ。コロボックルの主人公は世界旅行を夢見る行動派の女の子のツクシンボ。この二人がトモダチになるわけで、この異色なコンビの成り立ちが、とても面白い。

本書の特徴の一つは、正子の勤める図書館の児童室に、コロボックル・シリーズ四巻が存在することだろう。そして、その本を読み、正子は作者である佐藤さとるさんに手紙を書いて返事をもらう。つまり、作者が物語に登場してくるのだ。

正直に白状すると、最初に読んだ時は、少しびっくりした。佐藤さとるさんは、自分の物語に登場しそうな人ではない気がしたのだ。最後まで読み、本書について語った作者の言葉も読み、さらに再読して、自分なりに考えた。

コロボックル・シリーズの本の中で描かれている世界は、我々が暮らしている現実世界と等しいものなのだ。このことは、単純にそうだろうと思うかもしれないが、かなり特別なことだ。私などは、自分が作る物語世界は、そこだけの小宇宙でいいと思ってしまう。もちろん、現代日本を舞台にしていれば、それなりのリアリティーは追求するが、イコールであれとまでは思わない。というか、正直、そこまで考えたことはなかった（長い年月をかけたシリーズものを書いたことがないせいかもしれないが）。

物語の世界だから、という、どんな小さな言い訳も、コロボックル・シリーズでは許されないのだ。なぜなら、「コロボックルは本当に存在する」からだ。そして、物語は「ほとんどが真実」だからだ。このメッセージが物語という形で伝わることで、シリーズがすっくりと立ち上がり、見事に完結するようにも思える。

作者の「覚悟」のようなものを感じた。覚悟というと大げさかもしれず、創作の姿勢と言ったほうがいいかもしれない。この覚悟、この姿勢あってこその、このコロボックル・シリーズなのだ。

読者の誰もが、日常の身のまわりに、出かけたひっそりした野山に探してしまう、三センチほどの大きさの小さな人たち。その小さな人たちと真剣にかかわる大きな人たち。小さな人と大きな人の暮らす、日本の山と町。あざやかで、なつかしく、親密で、とてつもなくリアルな世界。

これだけの魅力的な世界があるのだから、もっとたくさんのお話が読みたかったと願う読者も多いだろう。私も本当にそう思う。でも、コロボックルの物語は、コロボックルたちが人間に知らせてもいいことだけが語られていると聞いて、しかたがないかなと少しあきらめがついた。

きっと、世の中には、文字になっていないけれど存在している数多《あまた》の物語があるのだろう。「秘密」とされて伝えられなかったコロボックルたちの幾千幾万の生活と冒険と恋の物語。幸運にも知ることができた大切な物語を思い浮かべて、心を開き、目をこらし、耳をすますと、語られなかった物語のカケラがつかめるのかもしれない。

語られた五冊（※『小さな人のむかしの話』を加えて六冊）の物語と、語られなかった無数の物語に、心からの感謝と愛を捧げたい。

※編集部注：二〇一二年二月刊行時に『コロボックルむかしむかし』と改題予定。

『小さな国のつづきの話』は一九八三年に小社より刊行されました。本書は単行本と一九九一年に刊行された青い鳥文庫をもとに文庫化したものです。

|著者|佐藤さとる　1928年、神奈川県生まれ。『だれも知らない小さな国』で毎日出版文化賞・国際アンデルセン賞国内賞など、『おばあさんのひこうき』で児童福祉文化賞・野間児童文芸賞を受賞。日本のファンタジー作家の第一人者で、『佐藤さとる全集』（全12巻）、『佐藤さとるファンタジー全集』（全16巻）が刊行された。「コロボックル」シリーズは全6巻。『天狗童子』（講談社文庫）で赤い鳥文学賞、2015年には日本児童文芸家協会児童文化功労賞を受賞。2017年2月、88歳で逝去。

|絵|村上勉　1943年、兵庫県生まれ。'67年、『おばあさんのひこうき』などで第16回小学館絵画賞を受賞。『佐藤さとる全集』（全12巻）、『佐藤さとるファンタジー全集』（全16巻）の装本・さし絵をはじめ、佐藤さとる氏との絶妙のコンビぶりには定評がある。絵本に、『おおきなきがほしい』『かえるのそらとぶけんきゅうじょ』などがある。

コロボックル物語《ものがたり》⑤小《ちい》さな国《くに》のつづきの話《はなし》
佐藤《さとう》さとる|村上《むらかみ》 勉《つとむ》・絵

講談社文庫
定価はカバーに表示してあります

2011年11月15日第1刷発行
2025年3月28日第7刷発行

KODANSHA

発行者――篠木和久
発行所――株式会社　講談社
東京都文京区音羽2-12-21　〒112-8001
電話　出版（03）5395-3510
　　　販売（03）5395-5817
　　　業務（03）5395-3615
Printed in Japan

デザイン―菊地信義
本文データ制作―講談社デジタル製作
印刷―――株式会社KPSプロダクツ
製本―――株式会社KPSプロダクツ

ISBN978-4-06-277087-3

講談社文庫刊行の辞

二十一世紀の到来を目睫に望みながら、われわれはいま、人類史上かつて例を見ない巨大な転換期をむかえようとしている。

世界も、日本も、激動の予兆に対する期待とおののきを内に蔵して、未知の時代に歩み入ろうとしている。このときにあたり、創業の人野間清治の「ナショナル・エデュケイター」への志を現代に甦らせようと意図して、われわれはここに古今の文芸作品はいうまでもなく、ひろく人文・社会・自然の諸科学から東西の名著を網羅する、新しい綜合文庫の発刊を決意した。

激動の転換期はまた断絶の時代である。われわれは戦後二十五年間の出版文化のありかたへの深い反省をこめて、この断絶の時代にあえて人間的な持続を求めようとする。いたずらに浮薄な商業主義のあだ花を追い求めることなく、長期にわたって良書に生命をあたえようとつとめるところにしか、今後の出版文化の真の繁栄はあり得ないと信じるからである。

同時にわれわれはこの綜合文庫の刊行を通じて、人文・社会・自然の諸科学が、結局人間の学にほかならないことを立証しようと願っている。かつて知識とは、「汝自身を知る」ことにつきていた。現代社会の瑣末な情報の氾濫のなかから、力強い知識の源泉を掘り起し、技術文明のただなかに、生きた人間の姿を復活させること。それこそわれわれの切なる希求である。

われわれは権威に盲従せず、俗流に媚びることなく、渾然一体となって日本の「草の根」をかたちづくる若く新しい世代の人々に、心をこめてこの新しい綜合文庫をおくり届けたい。それは知識の泉であるとともに感受性のふるさとであり、もっとも有機的に組織され、社会に開かれた万人のための大学をめざしている。大方の支援と協力を衷心より切望してやまない。

一九七一年七月

野間省一

講談社文庫　目録

田辺聖子　春情蛸の足
田辺聖子　蝶花嬉遊図
田辺聖子　言い寄る
田辺聖子　私的生活
田辺聖子　苺をつぶしながら
田辺聖子　不機嫌な恋人
田辺聖子　女の日時計
谷川俊太郎 訳 和田誠 絵　マザー・グース　全四冊
立花隆　中核VS革マル　(上)(下)
立花隆　日本共産党の研究　全三冊
立花隆　青春漂流
高杉良　労働貴族
高杉良　広報室沈黙す　(上)(下)
高杉良　炎の経営者　(上)(下)
高杉良　小説 日本興業銀行　全五冊
高杉良　社長の器
高杉良　その人事に異議あり〈女性広報主任のジレンマ〉
高杉良　人事権！
高杉良　小説消費者金融〈クレジット社会の罠〉

高杉良　小説 新巨大証券　(上)(下)
高杉良　局長罷免─小説通産省
高杉良　首魁《しゅかい》の宴《うたげ》〈政官財腐敗の構図〉
高杉良　指名解雇
高杉良　燃ゆるとき
高杉良　銀行大合併〈短編小説全集(上)〉
高杉良　エリートの反乱〈短編小説全集(中)〉
高杉良　金融腐蝕列島　(上)(下)
高杉良　勇気凜々
高杉良　混沌《こんとん》 新・金融腐蝕列島　(上)(下)
高杉良　乱気流　(上)(下)
高杉良　小説 会社再建
高杉良　新装版 懲戒解雇
高杉良　新装版 大逆転！〈小説 三菱・第一銀行合併事件〉
高杉良　新装版 バンダルの塔
高杉良　第四権力〈巨大メディアの罪〉
高杉良　巨大外資銀行
高杉良　最強の経営者〈アサヒビールを再生させた男〉
高杉良　リベンジ〈巨大外資銀行〉

高杉良　新装版 会社蘇生
竹本健治　新装版 匣《はこ》の中の失楽
竹本健治　囲碁殺人事件
竹本健治　将棋殺人事件
竹本健治　トランプ殺人事件
竹本健治　狂《るい》い壁 狂い窓
竹本健治　涙《るい》香《こう》迷《めい》宮《きゅう》
竹本健治　新装版 ウロボロスの偽書　(上)(下)
竹本健治　ウロボロスの基礎論　(上)(下)
竹本健治　ウロボロスの純正音律　(上)(下)
高橋源一郎　日本文学盛衰史
高橋源一郎　5と3/4時間目の授業
高橋克彦　写楽殺人事件
高橋克彦　総門谷
高橋克彦　炎立《ほむら》つ　壱 北の埋み火
高橋克彦　炎立つ　弐 燃える北天
高橋克彦　炎立つ　参 空への炎
高橋克彦　炎立つ　四 冥き稲妻
高橋克彦　炎立つ　伍 光彩楽土〈全五巻〉

2024年12月13日現在